조선생의 절세 황금키

개인기업의 성실신고와 법인전환 실무

세무사 **조남철** 저

T A X A F F A I R S

2021년판

SAMIL | 삼일인포마인

www.samili.com 사이트 **제품몰** 코너에서 본 도서 **수정사항**을 클릭하시면
정오표 및 중요한 수정 사항이 있을 경우 그 내용을 확인하실 수 있습니다.

조선생의 절세 황금키

개인기업의 성실신고와 법인전환 실무

머리말

최근 코로나 등으로 기업 활동 환경이 더욱 악화되고 있다. 경제가 어렵다 보니 국세수입은 감소하고 경제계층 양극화로 저소득층의 소득이 감소하여 고소득층에 대한 과세는 높아져가고 있다. 개인사업자의 종합소득세율, 건강보험료가 인상되었고, 부동산 재산에 대해서는 양도소득세, 상속세, 증여세, 종합부동산세, 취득세 등 거의 모든 세금이 증가되고 있다.

또한 개정된 세법에 부합되지 않는 경우 세무검증에 대한 기준은 더욱 엄격해지고 있다. 앞으로 사업자, 자산가들에게 눈에 뻔히 보이는 꼼수를 통해서는 어떠한 절세도 기대할 수 없는 상황이다.

최고의 절세방법은 세금에 대한 관심이 전제되어야 한다. 납세자가 기본적인 세금 지식이 있어야만 보다 합리적인 의사결정을 할 수 있는 것이다. 이제는 납세자들이 스스로 정부의 조세정책에 발맞춰 세금 관련 문제를 어떻게 준비해야 할지에 대한 나름의 판단과 의사결정을 해야 한다.

또한 세무사, 회계사, 컨설턴트 등 현실에서 납세자의 세무 업무에 조력하는 사람들은 개정되는 사항을 철저히 분석하고 개인사업자와 법인사업자의 정확한 장단점 분석을 통해서 납세자로 하여금 의심의 여지가 없는 상담과 컨설팅을 제공해 주어야 한다.

PREFACE

2019년도 말 출간했던 1판이 많은 분들의 과분한 사랑을 받았고, 나름의 성과 있는 피드백들을 받았다. 2021년 개정판에서는 2020년 8월 개정된 지방세특례제한법에 의한 부동산임대업 현물출자 취득세 감면 삭제에 대한 법령 부분을 수정하였고, 일부 내용에 대한 예규, 판례를 보충하였다. 그리고 법인전환과 가업승계라는 파트에서는 2020년 대폭 개정된 내용들을 반영하고 수정하였다.

법인기업은 법인이 쌓아 놓은 부(富)를 어떻게 하면 적은 세금을 내고 법인자금을 개인화시킬 수 있을까를 고민하고, 개인사업자나 자산가는 쌓아 놓은 부(富)를 어떻게 하면 적은 세금을 내고 자녀에게 승계시킬 수 있을까를 고민한다. 이 책은 이러한 고민에 대한 솔루션과 가이드를 제시하고 있다. 그동안의 수많은 상담, 컨설팅과 강의, 세무칼럼 등을 통해서 설명했던 사업자에게 필요한 세무지식들을 이 책에 담았다. 실무에서 사업자와 자산가들이 가장 궁금해 하고 필요로 하는 내용에 대해서 정리하였기 때문에 법인기업, 개인기업, 자산가, 세무컨설턴트와 세무실무자들에게 많은 도움이 되리라 기대한다.

집필과정에 많은 도움을 주신 삼일인포마인 조원오 전무님과 임연혁 차장님에게 감사의 말을 전하고, 끝으로 원고 작업에 집중할 수 있도록 도움을 준 아내 김영미에게 감사하다는 말과 바쁘다는 핑계로 함께 많이 놀아주지 못한 병건이와 하율이에게 미안하다는 말을 꼭 전하고 싶다.

2021년 3월

저자 조 남 철

Part 01 성실신고제도

Contents

Contents

Part 04 — 법인전환과 영업권

Contents

Part

01

성실신고제도

1. 성실신고확인제도 도입 취지
2. 성실신고확인제도 대상 수입금액
3. 성실신고확인자
4. 성실신고확인서 제출시기
5. 성실신고확인의무 위반에 대한 제재
6. 성실신고확인자의 책임 범위
7. 복수사업자 성실신고대상자의 판단
8. 성실신고대상자 절세와 법인전환
9. 법인 성실신고확인제도

Part

01

성실신고제도

1 성실신고확인제도 도입 취지

2011년 과세기간의 소득분에 대한 종합소득세 신고부터 적용되었다. 수입금액이 업종별로 일정규모 이상인 개인사업자가 종합소득세를 신고할 때 장부기장내용의 정확성 여부를 세무사 등에게 확인받은 후 신고하게 함으로써 개인사업자의 성실한 신고를 유도하기 위해 도입되었다.

2 성실신고확인제도 대상 수입금액

업 종 별	'14~'17귀속	'18귀속부터
가. 농업·임업 및 어업, 광업, 도매 및 소매업(상품중개업을 제외한다), 제122조 제1항에 따른 부동산매매업, 그 밖에 제2호 및 제3호에 해당하지 아니하는 사업	해당 연도 수입금액 20억 원 이상	해당 연도 수입금액 15억 원 이상
나. 제조업, 숙박 및 음식점업, 전기·가스·증기 및 수도사업, 하수·폐기물처리·원료재생 및 환경복원업, 건설업(비주거용 건물 건설업은 제외하고, 주거용 건물 개발 및 공급업을 포함한다), 운수업, 출판·영상·방송통신 및 정보서비스업, 금융 및 보험업, 상품중개업	해당 연도 수입금액 10억 원 이상	해당 연도 수입금액 7.5억 원 이상
다. 법 제45조 제2항에 따른 부동산임대업, 부동산관련 서비스업, 임대업(부동산임대업을 제외한다), 전문·과학 및 기술 서비스업, 사업시설관리 및 사업지원 서비스업, 교육 서비스업, 보건업 및 사회복지 서비스업, 예술·스포츠 및 여가관련 서비스업, 협회 및 단체, 수리 및 기타 개인 서비스업, 가구 내 고용활동	해당 연도 수입금액 5억 원 이상	해당 연도 수입금액 5억 원 이상

3 성실신고확인자

- 세무사, 공인회계사, 세무법인, 회계법인
- 신고납세제도의 기본 틀을 유지하면서 사업자의 장부기장 내역과 과세소득의 계산 등 성실성을 확인하기 위해서는 세무전문가의 공공성과 전문성 필요

4 성실신고확인서 제출시기

종합소득세 확정 신고 시 납세지 관할 세무서장에게 제출

5 성실신고확인의무 위반에 대한 제재

(1) 사업자에 대한 가산세 부과

성실신고확인대상 과세기간의 다음 연도 6월 30일까지 성실신고확인서를 제출하지 않은 경우, 해당 사업소득금액이 종합소득금액에서 차지하는 비율*에 종합소득 산출세액을 곱하여 계산한 금액의 100분의 5가 가산세로 부과된다.

* 산출세액 × (미제출 사업장의 소득금액 / 종합소득금액) × 5%

(2) 사업자에 대한 세무조사

성실신고확인서 제출 등의 납세협력의무를 이행하지 아니한 경우, 수시 세무조사대상으로 선정될 수 있다.

(3) 성실신고확인자에 대한 제재

세무조사 등을 통해 세무대리인이 성실신고확인을 제대로 하지 못한 사실이 밝혀지는 경우, 성실신고확인 세무대리인에게 징계 책임이 있다.

6 성실신고확인자의 책임 범위

(1) 허위확인

세무대리인이 사전에 알고 있었음에도(고의) 지출증빙서류가 없는 가공비용을 계상한 경우(납세자가 허위적격증빙으로 세무대리인을 속인 경우 제외)

(2) 불성실확인

세무대리인이 정당한 주의의무를 다하지 아니하여(고의 또는 방조) 적격증빙이 아닌 비용을 계상하거나 사업용계좌 등으로 확인 가능한 매출을 장부상에 누락한 경우

이러한 세무대리인에 의한 허위확인, 불성실확인 사유가 확인될 경우 세무사법 제17조(징계)에 따라 기획재정부 내 세무사징계위원회에 징계 회부되어 징계대상이 되는 것으로, 그 이외 납세자의 세금탈루행위에 대하여 세무대리인에게 포괄적인 책임을 묻는 것은 아니므로 이에 대한 적절한 대응이 필요하다.

세무사징계위원회 징계사례

세무대리인의 허위확인으로 인한 대표적 징계사례는 가공세금계산서 수취를 통한 매입비용의 과다계상이다. 다만, 이 경우 세무대리인 입장에서 납세자가 제시한 세금계산서 실물 및 이후 통장상의 출금확인 등 정당한 주의의무를 다했음에도 불구하고 거래증빙의 허위여부를 확인하기 어려웠고, 따라서 그 과정에서 고의성 여부가 드러나지 않을 경우 세무대리인을 징계하지 않는다(처분청에 의한 징계회부 시 세무사징계위원회를 통해 적극적 소명이 필요하다).

매출누락의 경우, 사업용 계좌로 입금 여부가 확인됨에도 이를 누락한 경우에는 징계를 피할 수 없으므로 사업용 계좌에 대한 검토에 특히 유의할 필요가 있다.

참고로 최근 심판원의 결정을 보면, 처분청에 의해 현금매출누락을 지적받고 부당과소 신고가산세가 부과된 건에 대하여 해당 현금매출이 사업용 계좌로 입금되어 확인 가능한 경우라면 부당과소신고 가산세 대상인 “이중장부” 등 위반행위에 해당되지 않는다고 판단하고 있다.

7 복수사업자 성실신고대상자의 판단

(1) 2개 이상 업종 또는 2개 이상 사업장을 겸영하는 경우 판정방법

개인사업자가 사업장을 2개 이상 운영하는 경우, 동일한 단독명의로 사업자등록이 되어 있는 경우에는 첫 번째 사업장과 두 번째 사업장의 수입금액이 합산되어 성실신고 여부를 판단하게 된다.

구 분	(CASE 1)	(CASE 2)	(CASE 3)
업 종	소매점A + 소매점B	소매점A + 제조업	소매점A + 임대업
단순합산 수입금액	10억 원 + 7억 원 = 17억 원	10억 원 + 3억 원 = 13억 원	10억 원 + 2억 원 = 12억 원
환산적용 수입금액	10억 원 + 7억 원 = 17억 원	10억 원 + 3억 원 × 2 = 16억 원	10억 원 + 2억 원 × 3 = 16억 원
성실신고 대상	대상 ○	대상 ○	대상 ○

상기 CASE에서 보게 되면 2개의 사업장을 운영하고 있는데 동일인의 명의인 경우, 수입금액이 성실신고 기준수입금액으로 환산된다.

CASE 1

소매점 성실신고 수입금액 15억 원이 안되어 성실신고대상이 아니지만, 두 번째 매장이 합산되어 성실신고가 되었다.

CASE 2

소매점 성실신고 수입금액 10억 원과 제조업 수입금액 3억 원이 2배(성실신고기준–소매: 15억 원, 제조: 7.5억 원으로 = 15억 원/7.5억 원 = 2배)로 환산하여 합산 16억 원이 되어 성실신고대상자가 되었다.

CASE 3

소매점 성실신고 수입금액 10억 원과 임대업 수입금액 2억 원이 3배(성실신고기준–소매: 15억 원, 임대: 5억 원으로 = 15억 원/5억 원 = 3배)로 환산하여 합산 16억 원이 되어 성실신고대상자가 되었다.

(2) 공동사업장(첫 번째 매장)을 운영하는 경우

구 분	(CASE 1)	(CASE 2)	(CASE 3)
업 종	소매점A + 소매점B	소매점A + 제조업	소매점A + 임대업
단순합산 수입금액	10억 원	10억 원	10억 원
환산적용 수입금액	10억 원	10억 원	10억 원
성실신고여부	대상 ×	대상 ×	대상 ×

위 사례의 경우는 첫 번째 매장이 공동사업자로 변경되어 사업장 수입금액이 타 단독사업장과 합산이 되지 않은 결과로 성실신고대상에 해당되지 않게 되었다.

※ 소득, 소득세과-182, 2012. 3. 6.

[제 목]
구성원이 동일한 공동사업장이 2 이상인 경우에는 공동사업장의 전체의 수입금액의 합계액을 기준으로 판단함.

[요 지]
성실신고확인 대상사업자 판정 시 구성원이 동일한 공동사업장이 2 이상인 경우에는 공동사업장의 전체의 수입금액의 합계액을 기준으로 판단하는 것임.

[회 신]
귀 질의의 경우, 「소득세법」 제70조의2 및 「소득세법 시행령」 제133조 규정을 적용함에 있어서 구성원이 동일한 공동사업장이 2 이상인 경우에는 공동사업장 전체의 수입금액의 합계액을 기준으로 판단하는 것입니다.

※ 소득, 소득세과-461, 2012. 6. 1.

[제 목]
성실신고 확인비용에 대한 세액공제는 구성원별로 계산하는 것이며, 당해 구성원별로 100만원을 한도로 하는 것임.

[요 지]

「조세특례제한법」 제126조의6에 따른 성실신고 확인비용에 대한 세액공제는 공동사업자의 구성원별로 계산하는 것이며, 당해 구성원별로 100만 원을 한도로 하는 것임.

[회 신]

귀 질의의 경우, 「조세특례제한법」 제126조의6에 따른 성실신고 확인비용에 대한 세액공제는 공동사업자의 구성원별로 계산하는 것이며, 당해 구성원별로 100만 원을 한도로 하는 것입니다. 구성원이 동일한 공동사업장이 3개 있는 경우 성실신고확인대상자 판정하는 방법은 기존 해석사례(소득세과-182, 2012. 3. 6.)를 참조하시기 바랍니다.

소득세과-182, 2012. 3. 6.

「소득세법」 제70조의2 및 「소득세법 시행령」 제133조 규정을 적용함에 있어서 구성원이 동일한 공동사업장이 2 이상인 경우에는 공동사업장 전체의 수입금액의 합계액을 기준으로 판단하는 것임.

[관련법령]

조세특례제한법 제126조의6【성실신고 확인비용에 대한 세액공제】

조세특례제한법 시행령 제121조의6【성실신고 확인비용에 대한 세액공제】

※ 소득, 소득세과-335, 2012. 4. 21.

[제 목]

성실신고확인대상자와 공동사업하는 사업자의 종합소득세 신고기한 연장 여부

[요 지]

공동사업장 B의 구성원으로 다른 소득이 없어 성실신고확인대상에 해당하지 않는 을은 소득세법 제70조의2 제2항에 따른 종합소득과세표준 확정신고기한의 연장을 적용할 수 없는 것임.

[회 신]

귀 질의의 경우, 성실신고확인대상에 해당하지 않는 공동사업장 B를 갑과 을이 경영함에 있어, 갑이 단독사업(A) 또는 다른 공동사업(C)으로 성실신고확인대상자에 해당하는 경우, 공동사업장 B의 구성원으로 다른 소득이 없어 성실신고확인대상에 해당하지 않는 을은 소득세법 제70조의2 제2항에 따른 종합소득과세표준 확정신고기한의 연장을 적용할 수 없는 것입니다.

[관련법령]

소득세법 제70조의2【성실신고확인서 제출】

8 성실신고대상자 절세와 법인전환

구 분	내 용
공동사업자	대부분 세율은 누진세율 구조이다. 명의가 많아지면 적용 세율 구간이 낮아진다.
법인전환	무조건 법인이 능사는 아니다. 충분한 과세소득이 발생한 경우에 법인전환이 유리하다.

(1) 공동사업자

1) 검토

실질적인 공동사업자 요건을 충족하는 경우 당초 단독사업자로 되어 있는 사업자 형태를 공동사업자로 변경하여야 하는지 검토할 필요가 있다. 다만, 실질적인 공동사업 형태이어야 가능하며, 형식적으로만 절세목적 공동사업자로 사업자 변경하는 경우에는 사후 추징의 대상이 될 수 있음을 유의해야 한다.

2) 단독사업자 VS 공동사업자

구 분	단독사업자	공동사업자
사업장 명의자	1人(甲)	2人 이상(甲, 乙)
소득 귀속	1人(甲)	2人 이상(甲, 乙) 손익분배비율만큼
장점	1) 등록절차 단순 2) 손익분배 분쟁 × 3) 비용처리 분쟁 ×	1) 낮은 누진세율 적용 2) 경영 리스크 분산 3) 시너지효과(자본과 경험)
단점	1) 높은 누진세율 적용 2) 경영 리스크 단독 부담 3) 시너지효과 ×	1) 등록절차 복잡 2) 손익분배 분쟁 가능성 3) 비용처리 분쟁 가능성 4) 乙 4대 보험 가입 의무 발생

단독사업자의 경우 등록절차가 단순하고 손익분배나 비용처리에 있어서 분쟁의 여지가 없지만 공동사업자는 절차가 다소 복잡하고 손익분배나 비용처리에 있어서 분쟁의

여지가 있다. 또한 피부양자였던 사람이 공동사업자로 참여하게 되면 피부양자 자격이 상실되고 직장가입자로 가입되어 건강보험료, 국민연금의 부담이 증가할 수 있으니 이 점에 유의해야 한다.

다만, 공동사업자로 변경하게 되면 높은 누진세를 일부 피할 수 있고, 자본과 경영의 분산참여로 경영 리스크가 감소한다. 또한 자본과 경영의 시너지를 기대해 볼 수도 있기 때문에 세금이 많다고 느끼는 개인사업자는 공동사업자로의 사업자 변경을 고민해 볼 수 있다.

(2) 법인전환

1) 검토

개인사업자들의 높아진 세금으로 법인전환에 대한 수요가 꾸준히 증가하고 있다. 하지만 10여 년 이상 개인사업자로서의 자금인출, 통장관리의 중요성을 인지 못하는 경우 법인전환을 하고 굉장히 애를 먹는 경우가 많다. 법인전환은 어느 정도 관리가 가능하고 통제가 가능한 개인사업자가 전환하는 것이 좋다.

2) 개인사업자 VS 법인사업자

구 분	개인사업자	법인사업자
사업자 명의자	개인 甲	주식회사 ABC
소득 귀속	개인 甲	주식회사 ABC
장점	1) 설립절차 단순, 설립유지비용 적음. 2) 자금인출이 자유로움 3) 가지급금 문제 ×	1) 낮은 누진세율(10~25%) 2) 소유와 경영 분리(주주≠경영자) 3) 높은 신용도(낮은 이자율) 4) 배당금, 퇴직금을 통한 소득이전
단점	1) 높은 누진세율(6~45%) 2) 소유와 경영 일치(주주=경영자) 3) 낮은 신용도(높은 이자율)	1) 설립절차 복잡, 설립유지비용 발생 2) 자금인출 시 근로, 배당소득 발생 3) 가지급금 문제 발생

개인사업자는 설립절차가 단순하고, 설립유지 비용이 적게 소요된다. 또한 자금인출이 자유로워 가지급금 문제가 발생되지 않는다. 하지만 법인사업자는 설립절차가 복잡하고 설립유지비용이 개인사업자보다 많이 발생한다. 또한 자금 인출 시 근로소득, 퇴직소득, 배당소득 등 다양한 세금문제가 발생하고, 신고하지 않고 인출하는 경우 가지급금의 문제가 발생한다.

그렇지만 법인사업자는 낮은 누진세율로 절세를 할 수 있고, 소유와 경영의 분리로 인하여 경영 리스크를 분산시킬 수 있다. 법인 실적만으로 법인대출을 받을 수 있고, 다양한 형태의 세금이 누진세율을 다소 피할 수 있게 해주어 절세가 된다. 하지만 개인사업자는 높은 세율로 인하여 높은 세금을 납부할 수 있기 때문에 개인사업자와 법인사업자의 장단점을 잘 비교할 필요가 있다.

성실신고대상자 절세방법과 법인전환에 대한 고찰

성실신고대상자 기준은 2017년도까지 도소매 20억 원, 제조업, 음식점 10억 원, 부동산임대업, 서비스업 5억 원이었지만 2018년도부터는 도소매 15억 원, 제조업, 음식점 7.5억 원, 부동산임대업, 서비스업 5억 원으로 개정되어 성실신고대상자의 수는 당초 16만 명에서 20만 명을 넘어섰다. 2018년도 귀속분에 대한 소득세를 2019년도 6월달에 납부하고 최초로 성실신고대상자가 된 사업자들의 납세부담으로 인해 공동사업자나 법인전환에 대한 궁금증이 증가하고 있다.

간혹 동업을 하는 성실신고확인사업장인데도 동업자 간의 명의 문제 등으로 단독사업자로 운영하는 경우가 있다. 이러한 경우 단독사업장 대표자의 타사업장 소득과 합산되어 성실신고대상자가 안될 수도 있는데, 성실신고가 되는 경우도 발생될 수 있다.

또한 동업인데도 불구하고 단독명의로 등재되어 있는 경우 높은 누진세율을 홀로 감당해야 하기 때문에 공동사업장으로 운영하는 것보다 훨씬 높은 세금을 내게 된다. 따라서 실제적으로 공동사업장의 경우에는 공동명의로 등재하는 것이 세금 측면에서 유리하다. 또한 부부공동 운영사업장이고 소득을 분배한다면, 이러한 사업장도 공동사업장을 구성하여 절세가 가능하다.

개인사업자라 해도 매출이 수백억 원, 수천억 원 하는 사업자들이 있다. 이러한 사업자들은 법인사업자를 하는 경우 가지급금, 차명주식, 세무조사 등 여러 가지 불편함을 우려해서 개인사업자를 유지하는 경우가 대부분이다.

성실신고확인대상자들은 항상 법인전환의 장단점을 검토할 필요가 있다.

법인전환의 장점은 개인사업자의 경우 해당 연도 소득세에 대해서 다음 연도에 100%의 세금을 내야 하지만, 법인사업자의 경우 우선 10~25%의 낮은 세율로 법인세만 과세가 된다는 점이 있다. 하지만 회사의 자금을 인출하기 위해서는 별도의 근로소득세, 배당소득세, 퇴직소득세 등을 통해서 다른 세금을 부담해야 한다. 즉, 개인사업자는 사업소득세 1가지의 세목에 대해서 대표자 1인이 세금을 부담하지만, 법인사업자의 경우 법인과 대표자 그리고 임원들이 근로소득세, 배당소득세, 퇴직소득세 등 여러 가지 세금으로 분산하여 자금을 인출하므로 높은 누진세 구조의 소득세율을 피해갈 수도 있다.

하지만 법인사업자의 고질적인 문제점인 자금인출에 대한 세금신고 부족으로 발생되는 가지급금 문제는 현명한 방법으로 풀어야 하는 문제점이 있지만, 성실신고확인대상자 중 순이익 비중이 업종에 따라서 10~30% 이상이 된다면 법인전환의 실익을 고민할 필요가 있다.

법인전환의 방법은 부동산이 없고 기존 개인사업자의 실적에 대한 승계 등이 중요치 않은 사업자의 경우에는 신규법인을 설립하여도 무방하고, 부동산과 재고자산 등이 있는 경우에는 포괄양수도 법인전환이나 현물출자 법인전환의 방법을 강구해야 한다.

포괄양수도 법인전환의 경우 인적·물적 설비 등의 포괄 승계가 이루어지므로 부가가치세가 발생되지 않는 장점이 있다. 하지만 개인사업 결산으로 산출되는 자산총계에서 부채총계를 뺀 순자산만큼의 현금 출자가 필요하기 때문에 순자산만큼의 유동성이 없는 경우에는 진행이 불가능하다.

현물출자 법인전환의 경우 통상 부동산임대업이나 부동산이 있는 제조업의 경우 통상 진행이 되며, 부동산을 법인으로 이전함으로써 발생되는 양도소득세와 취득세를 이월과세하거나 감면받고 순자산만큼의 현금납입이 없어도 법인전환이 가능해서 세금 측면에서 유용성이 있다. 하지만 검사인의 선임과 조사를 대신하여 공인된 감정인의 감정평가와 자산부채에 대한 실사를 하여야 한다.

궁극적으로 장기적인 사업의 영속을 생각한다면 사업장의 관리와 세금 측면 효율성을 고려하고 최소 10년 이상의 사업장 운영에 자신이 있는 경우에 법인전환을 검토해야 한다. 가지급금과 이익잉여금의 누적으로 인한 세금이 걱정되어 법인전환을 고려하지 않는 것은, 필자로 하여금 '구더기 무서워서 장 못 담근다'는 속담을 떠오르게 한다.

9 법인 성실신고확인제도

(1) 법인 성실신고확인제란?

부동산임대업을 주업으로 하는 소규모법인 등 일정한 요건에 해당하는 법인은 법인세를 신고할 때 과세표준 금액의 적정성 등을 세무대리인에게 확인받은 후 신고해야 한다.

(2) 성실신고확인대상자

1) 소규모 법인 다음의 소규모 법인 요건에 모두 해당하는 법인

① 부동산임대업을 주된 사업으로 하거나 이자·배당·부동산(권리)임대소득금액 합계액이 매출액의 70% 이상인 법인

② 해당 사업연도의 상시 근로자 수가 5인 미만

③ 지배주주 및 특수관계인의 지분합계가 전체의 50% 초과

2) 법인전환

- 성실신고확인대상인 개인사업자가 법인전환 후 사업연도 종료일 현재 3년 이내의 법인('18. 2. 13. 이후 법인전환 분부터 적용)

성실신고확인대상사업자가 사업용자산을 현물출자하는 등 대통령령으로 정하는 방법에 따라 내국법인으로 전환한 경우 그 내국법인(사업연도 종료일 현재 법인으로 전환한 후 3년 이내의 내국법인으로 한정한다)

"사업용자산을 현물출자하는 등 대통령령으로 정하는 방법"이란 사업용 유형자산 및 무형자산의 현물출자 및 사업의 양도·양수 등을 말한다.

※ 단, 「주식회사 등의 외부감사에 관한 법률」 제4조에 따라 감사인에 의한 감사를 받은 내국법인은 적용제외 가능

3) 성실신고확인자 선임신고서 제출

성실신고확인대상 내국법인은 성실신고를 확인하는 세무사 등을 선임하여 각 사업연

도의 종료일이 속하는 달의 말일부터 2개월 이내에 「성실신고확인자 선임신고서」를 납세지 관할 세무서장에게 신고해야 한다.

※ 성실신고확인자: 세무사, 공인회계사, 세무법인, 회계법인

4) 성실신고확인서 제출

성실신고확인대상 내국법인은 법인세법 제60조에 따라 법인세의 과세표준과 세액을 신고하는 경우 비치·기록된 장부와 증명서류에 의하여 계산한 과세표준 금액의 적정성을 세무대리인이 확인하고 작성한 「성실신고확인서」를 각 사업연도의 종료일이 속하는 달의 말일부터 4개월 이내에 납세지 관할 세무서장에게 제출해야 한다.

5) 성실신고확인에 대한 지원

법인세 신고·납부기한 연장 성실신고확인대상 내국법인이 「성실신고확인서」를 제출하는 경우 법인세의 과세표준과 세액을 각 사업연도의 종료일로부터 4개월 이내에 납세지 관할 세무서장에게 신고·납부해야 한다(1개월 연장).

성실신고 확인비용 세액공제 「성실신고확인서」를 제출하는 경우 성실신고확인에 직접 사용한 비용의 100분의 60(150만 원 한도)에 해당하는 금액을 해당 과세연도의 법인세에서 공제한다. 단, 해당 과세연도의 과세표준을 과소 신고한 경우로서 그 과소 신고한 과세표준(수정신고로 인한 경우 포함)이 경정된 과세표준의 100분의 10 이상인 경우 공제받은 금액에 상당하는 세액을 전액 추징된다.

6) 성실신고확인의무 위반에 대한 책임

성실신고확인서 미제출 가산세 부과 성실신고 확인대상인 내국법인이 「성실신고확인서」를 신고기한 내에 제출하지 않은 경우 법인세 산출세액*의 5%가 가산세로 부과된다.

* 토지 등 양도소득에 대한 법인세액 및 투자·상생협력촉진을 위한 과세특례를 적용하여 계산한 법인세액은 제외

미제출 법인에 대한 세무검증 성실신고확인서 제출 등의 납세협력의무를 이행하지 아니한 경우 세무조사 대상 등으로 선정될 수 있다.

성실신고확인자(세무대리인)에 대한 제재 추후 세무조사 등을 통해 성실신고확인 세무대리인이 확인을 제대로 하지 못한 사실이 밝혀지는 경우, 성실신고확인 세무대리인에게 징계 등의 제재가 있을 수 있다.

[제 목]
소득세법상 성실신고확인대상 개인사업자가 사업과 관련된 일부 자산을 제외하고 사업을 양수도하여 법인으로 전환하는 경우 성실신고확인서 제출대상 여부

[요 지]
소득세법상 성실신고확인대상 개인사업자가 사업과 관련된 일부 자산을 제외하고 사업을 양수도하여 법인으로 전환하는 경우에도 성실신고확인서 제출대상에 해당함.

[회 신]
「소득세법」 제70조의2 제1항에 따른 성실신고확인대상 개인사업자가 사업과 관련된 일부 자산을 제외하고 사업을 양도·양수하는 방법으로 법인전환하는 경우
그 전환된 내국법인은 「법인세법」 제60조의2 제1항 제2호 및 같은 법 시행령 제97조의4 제3항에 따라 성실신고확인서 제출대상에 해당하는 것임.

■ 법인세법 시행규칙 [별지 제63호의15 서식] 〈신설 2018. 3. 21.〉

성실신고확인자 선임 신고서

접수번호	접수일시	처리기간 즉시

성실신고 확인대상 내국법인	법인명	사업자등록번호
	소재지	

성실신고확인자 (세무사, 공인회계사, 세무법인, 회계법인)	상호(법인명)	사업자등록번호
	성명(대표자)	관리번호
	사업장 소재지	

「법인세법 시행령」 제97조의4에 따라 위와 같이 성실신고확인자를 선임하였음을 신고합니다.

년 월 일

성실신고 확인대상 내국법인 (서명 또는 인)

성실신고 확인자 (서명 또는 인)

세무서장 귀하

유의사항
성실신고 확인대상 법인의 본점 관할 세무서장에게 제출합니다.

210mm×297mm[백상지 80g/㎡]

■ 법인세법 시행규칙 [별지 제63호의16 서식(1)] 〈신설 2018. 3. 21.〉

사 업 연 도	. . . ~ . . .	**성실신고확인서**	법 인 명	
			사업자등록번호	

1. 성실신고확인대상법인

① 법인명		② 사업자등록번호	– –
③ 대표자성명		④ 법인등록번호	–
⑤ 업 종	(주업종코드:)		
⑥ 소재지			

2. 성실신고확인자(세무사, 공인회계사, 세무법인, 회계법인)

⑥ 상 호		⑦ 사업자등록번호	– –
⑧ 성 명		⑨ 관 리 번 호	–
⑩ 소재지			

3. 확인내용

위 성실신고확인대상 법인의 비치·기록된 장부와 증명서류에 의하여 계산한 수입금액, 비용의 계상 등 과세표준과 세액에 대하여 「법인세법」 제60조의2 제1항에 따라 성실하게 확인하였음을 확인합니다.

년 월 일

성실신고확인자 (서명 또는 인)

신고인은 「법인세법」 제60조의2 제1항에 따라 위 성실신고확인자로부터 성실신고확인을 받고 그 확인서를 제출합니다.

년 월 일

성실신고확인대상 법인 (서명 또는 인)

세무서장 귀하

첨부서류	1. 성실신고 확인결과 주요항목 명세서 2. 성실신고 확인결과 특이사항 기술서 3. 성실신고 확인결과 법인사업자 확인사항

210mm×297mm[백상지 80g/㎡ 또는 중질지 80g/㎡]

성실신고 확인결과 주요항목 명세서

(단위: 원)

1. 사업장 기본사항

사업자 등록번호	소유 구분	건 물		건물면적		임차 보증금	월 세	종업원수	차 량
		지하층	지상층	바닥면적	연면적				
	자가·타가	층	층	㎡	㎡	천원	천원	명	대

* 사업장 기본사항은 사업연도 종료일 현재 기준으로 사업자등록된 본점, 지점, 사업자등록되지 않은 사업장 순으로 작성(과세기간 중 폐업자는 폐업일 기준)

2. 주요 거래처 현황

① 주요 매출처 (전체 매출액 대비 5퍼센트 이상 금액의 매출처 중 상위 5개)

상 호 (법인명)	성 명 (대표자)	사업자등록번호	거래금액	거래품목

* 매출처가 최종소비자인 경우 최종소비자와의 거래분 전체를 1 거래처로 보아 작성
* 매출처가 사업자등록을 하지 않은 경우 사업자등록번호 란에는 주민등록번호를 기입

② 주요 매입처(전체 매입액 대비 5퍼센트 이상 금액의 매입처 중 상위 5개)

상 호 (법인명)	성 명 (대표자)	사업자등록번호	거래금액	거래품목

* 매입처가 사업자등록을 하지 않은 경우 사업자등록번호 란에는 주민등록번호를 기입

210mm×297mm[백상지 80g/㎡ 또는 중질지 80g/㎡]

성실신고 확인결과 주요항목 명세서

(단위: 원)

3. 주요 유형자산 명세

취득일자	계정과목	자산내역 (품명)	소재지	수 량	취득가액

* 건별 또는 세트당 취득가격이 사업연도 종료일 현재 5천만 원 이상인 유형자산(업무용승용차 제외)

4. 차입금 및 지급이자 명세

계정과목	차입처	차입금 용도	차입금액	연간 지급이자	차입일	상환일

* 차입금 건별로 사업연도 종료일 현재 1천만 원 이상의 차입금에 대해서 작성
* "차입금 용도" 작성 예시: 운용자금용, 시설투자용, 원재료매입용 등으로 작성

5. 대여금 및 이자수익 명세

계정과목	대여처	대여 사유	대여금액	연간 이자수익	대여일	만기일

* 건별로 사업연도 종료일 현재 1천만 원 이상의 대여금에 대해서만 작성
* "대여 사유" 작성 예시: 관계회사의 운용자금용, 시설투자용, 원재료매입용, 직원 주택구입자금 등으로 작성

210mm×297mm[백상지 80g/㎡ 또는 중질지 80g/㎡]

성실신고 확인결과 주요항목 명세서

(단위: 원)

6. 매출채권 및 매입채무 명세

매출채권				매입채무			
계정과목	거래처	잔액	비고	계정과목	거래처	잔액	비고

* 건별로 과세기간 종료일 현재 1천만 원 이상의 채권, 채무만 작성
* 과세기간 종료일 현재 매출채권 및 매입채무의 회수기일, 변제기일이 1년이 경과한 경우 최근의 회수기일 또는 변제기일을 '비고'란에 기재

7. 선급금 및 선수금 명세

선급금				선수금			
계정과목	거래처	잔액	용도	계정과목	거래처	잔액	용도

* 건별로 과세기간 종료일 현재 1천만 원 이상의 선급금, 선수금만 작성
* 용도: 시설투자용, 원재료매입용, 기계장치 제작용 보증금 등

8. 임원 현황

성명	출생년월	직위	등기임원 여부	상근 여부	담당업무

* 사업연도 종료일 현재 기준으로 작성

210mm×297mm[백상지 80g/㎡ 또는 중질지 80g/㎡]

성실신고 확인결과 주요항목 명세서

(단위: 원)

9. 수입금액 매출증빙발행 현황

① 총수입금액	② 매출증빙발행 금액					차이금액 (①-②)
	㉮ 세금계산서	㉯ 계산서	㉰ 신용·선불 직불(체크) 카드	㉱ 현금영수증	㉲ 지 로 (GIRO)	
차이원인						

* 총수입금액은 「법인세법 시행규칙」 별지 제1호 서식인 "법인세 과세표준 및 세액신고서"상 ㉝ 총수입금액과 일치하여 작성
* ㉮와 ㉰, ㉱, ㉲가 중복될 경우 ㉮에 기재하고, ㉯와 ㉰, ㉱, ㉲가 중복될 경우 ㉯에 기재하여 ㉮부터 ㉲항목 간의 금액이 중복 기재하지 않도록 작성
* 차이금액 및 차이원인에는 매출증빙발행 금액(②)의 증빙서류 외의 영수증 등(예시: 영수증, 간이계산서 등)으로 발행한 매출 및 증빙서류 없는 매출의 금액과 원인을 기재

10. 특수관계인에게 지출한 인건비(일용직 등 포함) 지급 명세

종류	성명	주민등록번호	관계	입사일 (퇴사일)	담당 직무	지급액	비과세·과세대상 제외1)	지급명세서 제출금액

* 지급명세서 종류(근로, 퇴직, 일용, 사업, 기타)를 기재
* 「소득세법」 제12조 제3호의 근로소득 비과세금액 중 지급명세서 제출이 제외되는 금액과 같은 법 시행령 제38조의 근로소득에서 제외되는 금액을 기재
* 지급명세서 제출금액은 각종 지급명세서에 기재된 지급총액(세전)을 기재

11. 특수관계인에게 제공한 보증 및 담보 내역

특수관계인		관계	지급보증금액 (또는 담보제공금액)	내역	여신금융기관
법인명 (성명)	사업자등록번호 (또는 주민등록번호)				

* 내역란에는 채무보증, 부동산담보, 예금담보 등 보증 및 담보내용을 기재

210mm×297mm[백상지 80g/㎡ 또는 중질지 80g/㎡]

성실신고 확인결과 주요항목 명세서

(단위: 원)

12. 지출증명서류 합계표

(1) 표준대차대조표 계정과목별 지출증명서류 수취금액

계정과목			지출증명서류 수취금액						
① 코드	② 과목명	③ 금액	④ 계 (⑤+⑥+⑦+⑧+⑨)	신용카드 ⑤ 법인	신용카드 ⑥ 개인	⑦ 현금 영수증	⑧ 세금 계산서	⑨ 계산서	⑩ 차이 (③-④)
⑪ 소 계									

(2) 표준손익계산서 계정과목별 지출증명서류 수취금액

계정과목			지출증명서류 수취금액						
⑫ 코드	⑬ 과목명	⑭ 금액	⑮ 계 (⑯+⑰+⑱+⑲+⑳)	신용카드 ⑯ 법인	신용카드 ⑰ 개인	⑱ 현금 영수증	⑲ 세금 계산서	⑳ 계산서	㉑차이 (⑭-⑮)
㉒ 소 계									

(3) 표준손익계산서부속명세서(제조·공사원가 등) 계정과목별 지출증명서류 수취금액

계정과목				지출증명서류 수취금액						
㉓ 구분	㉔ 코드	㉕ 과목명	㉖ 금액	㉗ 계 (㉘+㉙+㉚+㉛+㉜)	신용카드 ㉘ 법인	신용카드 ㉙ 개인	㉚ 현금 영수증	㉛ 세금 계산서	㉜ 계산서	㉝ 차이 (㉖-㉗)
㉞ 소 계										

(4) 합계금액

㉟ 합 계(1+2+3)								

* 작성요령은 「법인세법 시행규칙」 별지 제77호 서식인 지출증명서류 합계표와 동일

210mm×297mm[백상지 80g/㎡ 또는 중질지 80g/㎡]

성실신고 확인결과 주요항목 명세서

(단위: 원)

13. 3만 원 초과 거래에 대해 적격증빙 없는 매입거래분에 대한 명세

계정 과목	매입처					증빙불비 원인
	거래일자	상호 (법인명)	성명 (대표자)	금액	거래내용	
계						

* 「법인세법」상 지출증명서류 수취 의무가 있으나, 적격증빙을 수취하지 않은 거래내역을 기재
* 증빙불비 원인란에는 「법인세법 시행령」 제158조 제2항 각 호의 규정을 아래와 같이 번호로 기재
  – ① : 법령§ 158②(1), ② : 법령§ 158②(2), ③ : 법령§ 158②(3), ④ : 법령§ 158②(4), ⑤ : 법령§ 158②(5),
  ⑥ : 기타(구체적 사유 기재)

14. 금융계좌 잔액 명세

개설은행	계좌번호	구분	기초 잔액	기말 잔액

* 구분란에는 정기예금, 보통예금 등을 기재

15. 상품권·기프트카드·선불카드 구매 명세

구매일자	발행자	발행금액	매수	구매금액	사용 용도	구분

* 사용 용도란에는 거래처 접대, 복리후생 등을 기재
* 구분란에는 「법인세법 시행규칙」 별지 제23호 서식 접대비조정명세서(갑)의 ① 접대비 해당금액에 포함된 경우 '접대비', 근로소득세 등 원천징수한 경우는 '원천징수', 법인세 신고 시 상여처분 등 귀속자에게 소득처분한 경우는 '소득처분'으로 표시

210mm×297mm[백상지 80g/㎡ 또는 중질지 80g/㎡]

■ 법인세법 시행규칙[별지 제63호의16 서식(3)] 〈신설 2018. 3. 21.〉

성실신고 확인결과 특이사항 기술서

항목	특 이 사 항		비고
사 업 장 기 본 사 항			
수 입 금 액	(예시)	• 현금 수입금액 누락 여부	
유 형 자 산	(예시)	• 해당 법인 이외 타인이 주로 사용하는지 여부	
대 여 금	(예시)	• 특수관계인에게 업무와 관계없이 대여하는지 여부	
매 출 채 권 및 매 입 채 무	(예시)	• 특수관계인 채권 지연회수 여부 • 원재료, 소모품 등 구매한 물품의 실물이 없는 매입채무 존재 여부	
선급금 및 선수금	(예시)	• 특별한 사유없이 선급금으로 계상하였는지 여부 • 실제 매출이 발생하였음에도 선수금으로 계상하였는지 여부	
지 출 증 명 서 류 합 계 표	(예시)	• 3만 원 초과 거래에 대한 적격증빙 비치 여부 • 3만 원 초과 거래에 대한 장부상 금액과 적격증빙금액 일치 여부 • 현금지출 항목 또는 적격증빙 없는 항목에 대한 업무무관 여부	
인 건 비	(예시)	• 실제 근무하지 않은 특수관계인에게 지급한 인건비 해당 여부	
차 량 유 지 비	(예시)	• 업무용 차량수를 고려할 때 과다계상된 주유비 지출 여부 • 사업규모·근무자 수에 비해 과다한 차량에 대한 주유비 지출 여부 • 법인의 특수관계인의 소유 차량에 대한 주유비 지출 여부	
통 신 비	(예시)	• 특수관계인 등의 명의로 지급한 통신비 해당 여부 • 업무와 관련 없는 통신기기에서 발생하는 통신비 해당 여부	
복 리 후 생 비	(예시)	• 접대성 경비를 복리후생비로 계상 여부 • 특수관계인의 개인용도로 지출한 비용을 복리후생비로 계상 여부 • 접대 목적 또는 대표자 사적 사용한 상품권 해당 여부	
접 대 비	(예시)	• 국내관광지 및 해외 여행 지출 경비 해당 여부 • 업무와 관련이 없는 유흥주점 지출 경비 해당 여부	
이 자 비 용	(예시)	• 채권자가 불분명한 차입금에 대해 계상한 이자비용 여부 • 업무무관자산을 취득하기 위한 차입금에 대해 계상한 이자비용 여부	
감 가 상 각 비	(예시)	• 업무와 관련이 없는 자산에 대한 감가상각비 계상 여부	
건 물 관 리 비	(예시)	• 특수관계인이 사용하는 건물의 관리비 계상 여부	
지 급 수 수 료	(예시)	• 업무와 관련 없는 부동산 취득에 따른 관련 수수료 여부	
성 실 신 고 확 인 자 종 합 의 견			

210mm×297mm[백상지 80g/㎡ 또는 중질지 80g/㎡]

■ 법인세법 시행규칙 [별지 제63호의16 서식(4)] 〈신설 2018. 3. 21.〉

성실신고 확인결과 사업자 확인사항

구 분	확인내용	사업자확인 (예, 아니오)	비고
수입금액 확인	매출채권의 장부상 잔액과 거래처 잔액이 일치함을 확인합니다.		
	신고 시 수입금액을 누락하거나 이와 관련하여 장부에 계상하지 않은 비용은 없음을 확인합니다.		
	재고자산의 실제 재고와 장부상 재고가 일치함을 확인합니다. (차이가 있는 경우 매출 및 재고누락, 사적사용 등 원인을 기재하시기 바랍니다)		
	법인계좌 외 대표자, 대주주, 기타 특수관계인, 종업원 등 타인 명의의 계좌에 입금된 수입금액을 장부에 누락한 사실이 없음을 확인합니다.		
	(현금영수증 의무발급업종) 30만 원 이상 현금거래에 대하여 현금영수증 의무발급이 누락된 사실이 없음을 확인합니다.		
	(현금수입업종) 법인세 신고서상 현금 수입분에 대하여 누락된 사실이 없음을 확인합니다.		
	(현금수입업종) 수입금액에서 제외한 종업원의 봉사료는 실질에 맞게 구분기재하고 실제 지급하였음을 확인합니다.		
	(전문인적용역) 협회 등에 신고한 수임 건에 대한 수입금액을 신고수입금액에 포함하였음을 확인합니다.		
	(전문인적용역) 종료된 사건에 대한 성공보수금을 장부에 누락한 사실이 없음을 확인합니다.		
	(보건업종) 비보험 수입을 신고수입금액에 포함하였음을 확인합니다.		
	(보건업종) 보관하고 있는 일일수입금액집계표, 현금출납부 및 매출원장 등이 서로 일치함을 확인합니다.		

* 사업자확인은 "예" 또는 "아니오"로 기재하고, "아니오"인 경우에는 비고란에 차이금액 및 사유 등을 기재하시기 바랍니다.
* 수입금액 확인(업종별)은 신고인에 해당되는 업종에 대해서만 확인합니다.

위 확인내용은 사실과 다름없음을 확인합니다.

성실신고확인대상사업자 (서명 또는 인)

210mm×297mm[백상지 80g/㎡ 또는 중질지 80g/㎡]

■ 조세특례제한법 시행규칙 [별지 제78호 서식] 〈신설 2011. 8. 3.〉

성실신고확인비용 세액공제신청서

※ 아래의 작성방법을 읽고 작성하시기 바랍니다. (앞쪽)

접수번호	접수일자	처리기간 즉시

신청인	① 상호	② 사업자등록번호
	③ 성명	④ 주민등록번호
	⑤ 업종	
	⑥ 사업장 소재지	

신청내용	⑦ 과세기간	년 월 일부터 년 월 일까지
	공제세액 계산	⑧ 성실신고확인비용
		⑨ 공제가능액(⑧ × 60/100)
		⑩ 공제한도액 120만 원(법인 150만 원)
		⑪ 공제할 세액(⑨ 또는 ⑩ 중 적은 금액)

「조세특례제한법 시행령」 제121조의6 제2항에 따라 성실신고확인비용에 대한 세액공제 신청서를 제출합니다.

년 월 일

신청인 (서명 또는 인)

세무서장 귀하

첨부서류	없음	수수료 없음

작 성 방 법

1. 이 서식은 거주자별로 작성합니다.
2. ⑧란은 세무사 등 성실신고 확인자에게 실제 지급한 성실신고 확인비용을 적습니다.
3. ⑨란은 성실신고 확인비용에 60/100을 곱한 금액을 적습니다.

210㎜×297㎜[일반용지 60g/㎡(재활용품)]

Part

02

법인전환과 법인설립

1. 법인전환의 개요
2. 회사의 종류
3. 법인등기부등본
4. 정관 작성
5. 임원과 회사비용 지급규정
6. 기관의 종류

Part 
02

법인전환과 법인설립

1 법인전환의 개요

(1) 법인전환이란?

개념적으로는 개인기업주가 기업경영상 권리·의무의 주체가 되어 경영하던 기업을 개인기업주와는 독립된 법인이 기업경영상 권리·의무의 주체가 되도록 기업의 조직형태를 변경하는 것을 말한다.

법인전환을 위해서는 상법·세법 등을 비롯한 각종 법률과 규정에서 요구하는 제반절차를 수행하여야만 한다.

정부는 개인사업을 법인으로 전환함으로써 기업규모의 확대와 생산 또는 경영규모의 적정화를 기하여 국제경쟁력을 높이고 새로운 경제발전의 토대를 마련하고자 하는 산업합리화의 정책목적을 실현하기 위하여 개인사업자의 법인전환을 유도하고 있으며, 이에 따른 세제상의 지원책도 마련하고 있다.

세법에서 규정하고 있는 법인전환 형태에는 현물출자에 의한 법인전환, 사업양도·양수에 의한 법인전환, 중소기업 간의 통합에 의한 법인전환이 있다.

법인전환 시 조세지원을 받기 위해서는 조세특례제한법 제32조에서 규정한 제반조건들을 충족시켜야 한다. 또한 부가가치세법상에서도 개인사업자가 법인설립을 위하여 개별적인 재화를 현물출자하는 것은 과세거래인 재화의 공급에 해당되나 개인사업자의 사업용 자산 전부를 현물출자하여 법인으로 전환함으로써 사업 전체로서의 동일성이 상실되지 않는 경우에는 사업의 양도로 보아 부가가치세를 과세하지 않는다.

(2) 법인전환의 필요성 부각

정부의 재정수입이 재정지출에 못 미치는 것은 어제오늘의 일이 아니다. 국세청은 2011년 고소득 자영업자들의 성실한 신고를 유도하여 세수를 확보하기 위해서 성실신고확인제도를 도입하였고, 이로 인하여 고소득 자영업자들의 가공경비를 산입시켜 이익을 줄이는 행태는 거의 자취를 감추었다.

이러한 제도로 인하여 납부해야 하는 세액이 커졌고, 자연스럽게 고소득 자영업자들은 높은 누진세율을 회피하기 위해서 법인전환을 고려하고 있다.

(3) 법인전환의 장점

법인전환은 끝이 아니라 시작이라는 말을 종종 한다. 법인은 개인사업자보다는 조금 복잡한 운영구조(등기임원, 비등기임원, 이사, 감사, 이사회)와 지분구조(대주주, 소액주주, 지분이동)를 가지고 있기 때문에, 이 점을 잘 활용한다면 법인전환이 유리할 수도 있고 불리할 수도 있다.

① 조세부담의 차이

개인기업에게 적용되는 소득세율은 최저 6%에서 최대 42%에 이르기까지 과세표준에 따라 누진세율로 구성되어 있으며, 법인세율은 최저 10%에서 최대 25%까지 누진세율로 구성되어 있다.

이러한 세율차이가 법인전환을 고려하게 되는 주된 이유 중 하나이다. 물론 법인이 배당을 하는 경우에는 소득세 부담이 있다. 이 문제에 대해서는 100%는 아니지만 배당세액공제 등의 방법으로 이중과세 문제를 해결하고 있다.

② 대외공신력 제고

법인기업이 개인기업보다 대외공신력과 신용도가 높기 때문에 자금조달이 용이하고, 기업 이미지가 제고되어 업무수행에도 유리한 점이 많다. 또한 공신력이 제고되면 홍보효과도 있고 공공기관의 입찰에도 유리하게 작용할 수 있다.

③ 기업의 장기적 발전

개인기업은 기업주가 교체, 사망 등의 개인적인 사정이 기업의 존속에 결정적인 영향을 미치고 있으나, 법인기업은 기업의 영속성이 있고 전문경영인에 의해 장기적인 발전을 꾀할 수도 있다.

또한 법인은 소유와 경영이 분리되는 경우가 많아서 전문경영인을 통한 기업의 영리성과 영속성을 추구하는데 도움이 된다.

④ 자금조달의 다양화

법인은 다수의 주주로부터 자본을 용이하게 조달할 수 있고, 회사채발행도 가능하여 자금조달이 개인기업보다 유리하다. 하지만 대부분의 중소법인들은 대표자와 그 특수관계자가 주식의 대부분을 소유하는 경우가 많다.

⑤ 국세청 세무조사 가능성 감소

법인전환을 고려하는 규모 정도라면 개인사업자 중에서 국세청의 조사대상 확률이 높지만, 법인사업자로 전환하게 되면 매출규모면에서 조사대상이 될 확률은 현저히 낮아진다.

⑥ 가업상속공제기간의 산입

법인전환 시에 자녀가 포함되면 추후에 가업상속공제의 조세혜택을 받기 위한 가업영위기간 10년 요건에 사업기간을 포함시킬 수 있다.

⑦ 사업상부채에 대한 유한책임

개인사업자의 경우 사업상의 책임에 대해서 무한책임을 지지만, 법인사업자의 경우 지분율에 비례한 유한책임만 진다.

⑧ 부의 이전 기회제공

법인전환 실행 시 부채를 부담하여 대표자 지분을 줄이고 자녀가 금전을 출자하여 지분을 늘리는 경우, 부의 이전수단으로 유용하게 사용 가능하다.

(4) 법인전환의 단점

① 법인자금의 사용제한

대표자 개인과 법인은 엄연히 다른 인격을 가지고 있다. 즉, 대표이사가 100% 주주라고 해도 법인의 자본금으로 출자한 이상 마음대로 회사의 자금을 유용할 수 없고, 이익이 발생한다고 해도 근로소득세, 배당소득세 등을 부담하지 않으면 법인의 자금을 외부로 유출할 수 없다.

② 의사결정 소요시간 지연

여러 명의 주주 또는 이사가 있는 경우, 의사결정을 하기 위해서 주주총회 또는 이사회결의를 거쳐야 하기 때문에 의사결정이 지연될 수 있다.

③ 복잡하고 다양한 법규가 적용

일반적으로 개인은 소득세법에 의해서 종합소득세를 신고하고, 법인은 법인세법에 의해서 법인세를 신고하지만 조세제한특례법 적용 등 규제와 조세혜택을 받는데 있어서 법인의 경우가 개인의 경우보다 좀 더 복잡하다. 또한 법인은 법인 중요사항이 변경되는 경우 법인등기부등본을 변경해야 한다.

④ 가지급금 문제의 발생

개인사업자는 유보금을 제한 없이 인출이 가능하지만, 법인사업자가 유보금을 인출하기 위해서는 근로소득세, 배당소득세를 납부해야 한다. 따라서 많은 법인사업자들이 가지급금 문제로 어려움을 겪고 있다.

⑤ 이익잉여금의 처리문제

법인사업자를 운영하는 경우 급여로 자금을 인출하자니 높은 소득세를 납부해야 해서 당장에 세금 없이 자금을 이체하는 경우가 많다. 이는 가지급금으로 처리가 되고 급여처리가 안되어 당기순이익을 증가시킨다. 또한 당기순이익의 증가는 이익잉여금의 증가를 발생시켜서 주식가치를 인상시켜 주식이동에 따른 세금을 증가시킨다. 주식이동이 되지 않은 경우는 결국 주주에 대한 배당으로 처리되어 높은 누진세율을 적용받는다.

(5) 개인사업자, 법인사업자 비교

1) 개인사업자와 법인사업자 자금인출 방법

구 분	내 용
개인사업자	자금인출에 제한이 없음
법인사업자	– 근로소득(급여/상여금) – 배당소득(결산배당/중간배당) – 양도소득(자사주매입) – 퇴직소득(퇴직금) – 기타소득(사업관련 이외 활동) ※ 위 소득으로 신고하지 않는 경우 가지급금

법인사업자는 경영진과 주주 등 다양한 이해관계 구성원을 형성하여 다양한 형태로 기업의 자금인출이 가능하다. 법인사업자를 제대로 활용한다는 것은 이러한 다양하고 시점도 조절을 할 수 있는 소득의 귀속과 규모를 정하는데서 출발한다.

2) 개인사업자와 법인사업자 장단점 비교

구 분	개인사업자	법인사업자
사업자 명의	개인 甲	㈜ 넥스트
소득 귀속자	개인 甲	㈜ 넥스트
장 점	1) 설립절차 단순, 설립유지비용 적음. 2) 자금인출이 자유로움 3) 가지급금 문제 ×	1) 낮은 누진세율(10~25%) 2) 배당금, 퇴직금을 통한 소득이전 3) 주주의 유한책임
단 점	1) 높은 누진세율(6~42%) 2) 소유와 경영 일치(주주=경영자) 3) 상속세, 증여세 절세 활용 가능성 저하	1) 설립절차 복잡, 설립유지비용 발생 2) 자금 인출 시 근로, 배당소득 발생 3) 가지급금 문제 ○

개인은 운영에 있어서 단순함이 장점이지만 소득의 귀속시기를 조절할 수 없고 다음 연도에 100% 세금정산을 받아야 하는 문제로 인하여 경우에 따라서는 적절한 상속세, 증여세 플랜을 세우지 못해서 과도한 상속세, 증여세를 납부한다는 단점을 가지고 있다.

개인사업자와 법인사업자의 가장 큰 차이는 자금인출에 제한이 있는지 여부이다. 법인사업자의 가장 큰 근심 중 하나가 바로 세금신고를 하지 않고 인출한 가지급금이다. 가지급금은 급여신고로 인하여 납부하여야 할 건강보험료와 소득세를 아끼고자 하는 기본적인 욕구에서 시작되고 영업활동에 필수적으로 부대되는 영업비, 리베이트, 접대비, 주주임원의 임시대여금, 비 근무 임직원 인건비 등으로 발생된다.

(6) 법인 사업자등록과 등록 시 유의사항

1) 법인 사업자등록

구 분	내 용
정관 작성	정관에서 회사의 조직과 운영에 대한 근본 규칙을 정하고 회사 비용 관련 지급 근거 규정을 마련
법인등기부등본	정관 절대적 기재사항과 기타 등기사항이 기재
사업자등록증	법인등기부등본 상의 목적사항을 근거로 주 업종 등을 기재

법인사업자등록을 신청하기 위해서는 법인 설립의 기초사항과 법인 운영의 기본규율인 정관을 작성하고, 이를 바탕으로 법인등기부등본을 신청해야 한다. 법인등기부등본이 나온 이후에야 세무서 사업자등록증 신청이 가능하다.

2) 사업자등록 시 유의사항

구 분	내 용
지점 설치	법인 지점 설치는 필수적 등기사항은 아니다.
사업자 단위 과세 신청	추가적인 업무 사용 장소가 있는 경우 수익 활동이 발생되지 않으면 지점 사업자등록보다는 사업자단위과세 신청 * 다만, 면세사업장은 단위과세 대상 사업장이 아니다.
임대차 계약서	법인사업자를 신청하는 경우 포괄 양수도라 하더라도 법인임대차계약서가 필요하다.
업종 추가 주소 변경 등	사업자등록증에 업종을 추가하거나 주소 변경 등 내용이 변경되는 경우 정관–법인등기부등본–사업자등록증에 순차적으로 해당 업종이 반영되어야 한다.

법인 지점사업자의 경우 과세사업을 영위하는 법인이 지점 또는 직매장에 대한 사업자등록신청을 하는 경우에는 당해 지점의 등기여부와는 관계없이 사업자등록신청서에 당해 법인의 법인등기부등본을 첨부하여 등록할 수 있다.

또한 지점사업자를 추가로 내는 경우 사업자단위과세로 사업자등록을 신청하게 되면 별도의 사업자등록번호 부여 없이 종된 사업자 번호 부여로 지점사업자에 대한 세금신고와 납부를 본점과 한 번에 처리할 수 있다.

사업장이 하나인 사업자가 추가로 사업장을 개설하면서 추가 사업장의 사업 개시일이 속하는 과세기간부터 사업자 단위 과세 사업자로 적용받으려는 경우에는 추가 사업장의 사업 개시일부터 20일 이내(추가 사업장의 사업 개시일이 속하는 과세기간 이내로 한정한다)에 사업자의 본점 또는 주사무소 관할 세무서장에게 변경등록을 신청하여야 한다.

개인사업자 임대차계약서는 원칙적으로 법인임대차계약서가 필요하다. 사업자등록 이후 업종을 추가하거나 주소를 변경하게 되면 정관, 법인등기부등본, 사업자등록증을 순차적으로 변경하여야 하는 번거로운 점이 있을 수 있으므로 최초 사업자등록 신청 시 이 점에 유의해야 한다.

2 회사의 종류

(1) 회사의 개념

"회사"란 상행위나 그 밖의 영리를 목적으로 설립한 법인을 말한다. 따라서 회사는 영리를 목적으로 하며, 법인이라는 특성을 갖는다.

(2) 회사의 특성

1) 영리성

회사는 상행위나 그 밖의 영리를 목적으로 해야 한다. 영리를 목적으로 한다는 것은 대외적 수익활동을 통해 얻은 이익을 주주와 같은 구성원에게 분배한다는 것을 말한다.

2) 법인성

회사는 법인성을 가져야 한다. 법인성을 갖는다는 것은 구성원인 사원과 회사는 별개의 인격을 가지므로 회사는 사원으로부터 독립하여 별개의 권리와 의무를 가지며, 사원은 회사재산에 대해 직접적인 권리를 갖지 못한다는 것을 뜻한다.

(3) 영리법인과 비영리법인

1) 영리법인

상법에 의하여 영리를 목적으로 설립된 합명회사, 합자회사, 유한책임회사, 주식회사, 유한회사를 말한다.

영리법인은 내국법인과 외국법인으로 다시 나누어지는데, 내국법인은 국내 또는 국외에서 발생한 모든 소득에 대하여 "각 사업연도의 소득에 대한 법인세"의 납세의무가 있으며, 외국법인은 원칙적으로 국내에서 발생하는 소득(국내원천소득)에 대하여 "각 사업연도의 소득에 대한 법인세"의 납세의무가 있다.

법인의 종류		각 사업연도 소득에 대한 법인세	토지 등 양도소득에 대한 법인세	미환류 소득에 대한 법인세	청산 소득
내국 법인	영리법인	• 국내·외 모든 소득	○	○	○
	비영리법인	• 국내·외 수익사업에서 발생하는 소득	○	×	×
외국 법인	영리법인	• 국내원천소득	○	×	×
	비영리법인	• 국내원천소득 중 열거된 수익사업에서 발생한 소득	○	×	×
국가·지방자치단체		납세의무 없음			

※ 국세기본법 제13조 제4항에서 규정하는 "법인으로 보는 단체"의 납세의무는 비영리내국법인의 납세의무와 같다.

2) 비영리법인

비영리법인이라 함은 다음의 법인과 법인(법인세법에 의한 내국·외국법인)이 아닌 사단, 재단, 그 밖의 단체로서 국세기본법 제13조 제1항 및 제2항의 규정에 의하여 법인으로 보는 단체를 말한다(민법 제32조의 규정에 의하여 설립된 법인, 사립학교법 기타 특별법에 의하여 설립된 법인으로서 민법 제32조에 규정된 목적과 유사한 목적을 가진 법인).

(4) 회사의 종류

「상법」에서는 회사를 ① 합명회사, ② 합자회사, ③ 유한책임회사, ④ 주식회사, ⑤ 유한회사의 5가지로 분류하고 있다.

① 합명회사

합명회사는 2인 이상의 무한책임사원으로 구성된다. 무한책임사원은 회사에 대하여 출자의무를 가지고 회사채권자에 대하여 직접·연대하여 무한의 책임을 진다. 무한책임사원은 합명회사의 업무를 집행한다. 무한책임사원은 업무집행을 전담할 사원을 정할 수 있으며, 업무집행사원을 정하지 않은 경우에는 각 사원이 회사를 대표하고, 여러 명의 업무집행사원을 정한 경우에는 각 업무집행사원이 회사를 대표한다.

예 세무법인, 회계법인, 법무법인, 특허법인, 노무법인 등

② 합자회사

합자회사는 1인 이상의 무한책임사원과 1인 이상의 유한책임사원으로 구성된다. 무한책임사원은 회사채권자에 대하여 직접·연대하여 무한의 책임을 지는 반면, 유한책임사원은 회사에 대해 일정 출자의무를 부담할 뿐 그 출자가액에서 이미 이행한 부분을 공제한 가액을 한도로 하여 책임을 진다.

무한책임사원은 정관에 다른 규정이 없는 때에는 각자가 회사의 업무를 집행할 권리와 의무가 있으며, 유한책임사원은 대표권한이나 업무집행권한은 없지만 회사의 업무와 재산 상태를 감시할 권한을 가진다.

예 사모펀드, 운수업, 택시회사, 버스회사 등

*사모펀드의 경우 투자자가 유한책임회사, 경영자가 무한책임사원

③ 유한책임회사

유한책임회사는 공동기업이나 회사의 형태를 취하면서도 내부적으로는 사적자치가 폭넓게 인정되는 조합의 성격을 갖고, 외부적으로는 사원의 유한책임이 확보되는 기업 형태에 대한 수요를 충족하기 위해 「상법」에 도입된 회사형태로서 사모(私募)투자펀드와 같은 펀드나 벤처기업 등 새로운 기업에 적합한 회사형태이다.

유한책임회사는 1인 이상의 유한책임사원으로 구성된다. 유한책임사원은 회사채권자에 대하여 출자금액을 한도로 간접·유한의 책임을 진다.

유한책임회사는 업무집행자가 유한책임회사를 대표한다. 따라서 정관에 사원 또는 사원이 아닌 자를 업무집행자로 정해 놓아야 하며, 정관 또는 총사원의 동의로 둘 이상의 업무집행자가 공동으로 회사를 대표할 것을 정할 수도 있다.

예 사모투자펀드, 벤처캐피탈, 법무법인, 세무법인 등

④ 주식회사

주식회사는 1인 이상의 사원(주주)으로 구성된다. 주식회사의 주주는 회사채권자에게 아무런 직접적인 책임을 부담하지 않고 자신이 가진 주식의 인수가액 한도 내에서 간접·유한의 책임을 진다.

주식회사는 주주라는 다수의 이해당사자가 존재하므로 의사결정기관으로 주주총회를 두어 정기적으로 이를 소집해야 하고, 업무집행기관으로 이사회 및 대표이사를 두어 회사의 업무를 집행한다.

또한 이사의 직무집행을 감사하고, 회사의 업무와 재산 상태를 조사하기 위해 감사와 같은 감사기관을 둔다.

※ 주식회사는 주식을 단위로 자본이 구성되므로 자본집중이 쉽고, 주주가 유한책임을 부담하므로 사업실패에 대한 위험이 적어 공동기업의 형태로 자주 이용된다. 현재 우리나라의 회사 형태 중 주식회사가 차지하는 비율은 약 94%에 달한다.

예 삼성전자, 현대자동차, LG전자 등

⑤ 유한회사

유한회사는 1인 이상의 사원으로 구성된다. 유한회사의 사원은 주식회사와 마찬가지로 회사채권자에게 직접적인 책임을 부담하지 않고 자신이 출자한 금액의 한도에서 간접·유한의 책임을 진다.

유한회사의 조직형태는 주식회사와 유사하지만, 주식회사와 달리 이사회가 없고 사원총회에서 업무집행 및 회사대표를 위한 이사를 선임한다. 선임된 이사는 정관 또는 사원총회의 결의로 특별한 정함이 없으면 각각 회사의 업무를 집행하고 회사를 대표하는 권한을 가진다.

※ 유한회사의 조직형태는 주식회사와 유사하지만, 주식회사와 달리 폐쇄적이고 비공개적인 형태의 조직을 갖는다. 또한 주식회사보다 설립절차가 비교적 간단하고 사원총회 소집절차도 간소하다는 특징이 있다.

예 구글코리아, 애플코리아, 샤넬코리아 등

▌유한회사와 주식회사의 차이점▐

구 분	유한회사	주식회사
자본금	정관기재사항	등기사항
설립 시 검사인의 조사	없음	있음
사원의 공모	불가능	허용(모집설립 가능)
이사의 수	1인 이상	3인 이상. 다만, 자본금 10억 원 미만인 경우에는 1명 또는 2명
이사회	없음	필수기관
감사	임의기관	필수기관
증자방법	사원총회 특별결의	이사회결의
사채발행	불가능	가능

주식회사와 유한회사 외부회계감사 대상 비교

2019년 신외감법 개정으로 유한회사도 일정요건에 충족하는 경우 외부회계감사의 대상이 되었다.

1) 주식회사

아래 4가지 요건 중 2가지 요건 충족 시 외부회계감사 대상이 된다.

① 직전 사업연도 말 자산총액이 120억 원 이상
② 직전 사업연도 말 부채총액이 70억 원 이상
③ 직전 사업연도 말 매출액이 100억 원 이상
④ 직전 사업연도 말 종업원이 100명 이상

2) 유한회사

아래 5가지 요건 중 3가지 요건 충족 시 외부회계감사 대상이 된다.

① 직전 사업연도 말 자산총액이 120억 원 이상
② 직전 사업연도 말 부채총액이 70억 원 이상
③ 직전 사업연도 말 매출액이 100억 원 이상
④ 직전 사업연도 말 종업원이 100명 이상
⑤ 직전 사업연도 말 사원이 50명 이상

단, 2019년 11월 1일 이후 주식회사에서 유한회사로 조직 변경한 회사는 등기일부터 5년간은 주식회사로 간주하여 외부회계감사 대상을 판단하게 된다.

3) 외부회계감사 의무 법인

① 주권상장법인(코넥스시장 상장법인 제외)
② 상장예정법인(코넥스시장에 상장하려는 법인 제외)
③ 금융지주회사, 은행, 금융투자업자(투자자문 및 일임업 제외), 종합금융회사, 보험회사, 신용카드 업자
④ 직전 사업연도 자산총액이 500억 원 이상이거나 매출액이 500억 원 이상인 회사(사업월수 12개월 미만은 환산)

(5) 주식회사의 개요

1) 주식회사

주식의 발행을 통해 여러 사람으로부터 자본금을 조달받고 설립된 회사를 말한다. 주식을 매입하여 주주가 된 사원은 주식의 인수한도 내에서만 출자의무를 부담하고 회사의 채무에 대해서는 직접 책임을 부담하지 않는다.

따라서 주식회사는 주식, 자본금, 주주의 유한책임이라는 3가지 요소를 본질로 한다.

2) 주식

주식회사에서의 사원의 지위를 말한다. 주식은 주식회사의 입장에서는 자본금을 구성하는 요소이면서 동시에 주주의 입장에서는 주주의 자격을 얻기 위해 회사에 납부해야 하는 출자금액의 의미를 갖는다.

회사는 주식을 발행할 때 액면주식으로 발행할 수 있으며, 정관으로 정한 경우에는 주식의 전부를 무액면 주식으로 발행할 수도 있다.

※ "액면주식"이란 1주의 금액이 정해져 있는 주식을 말하며 "무액면주식"이란 1주의 금액이 정해져 있지 않은 주식을 말한다. 액면주식의 금액은 균일해야 하며, 1주의 금액은 100원 이상으로 해야 한다.

3) 자본금

자본금은 주주가 출자하여 회사성립의 기초가 된 자금을 말한다. 자본금은 다음과 같이 액면주식을 발행한 경우와 무액면주식을 발행한 경우에 따라 다르게 구성된다.

① 액면주식을 발행한 경우: 발행주식의 액면총액(액면금액에 주식 수를 곱한 것)이 자본금이 된다.

② 무액면주식을 발행한 경우: 주식 발행가액의 2분의 1 이상의 금액으로서 이사회(「상법」 제416조 단서에서 정한 주식발행의 경우에는 주주총회를 말함)에서 자본금으로 계상하기로 한 금액의 총액이 자본금이 된다(이 경우 주식의 발행가액 중 자본금으로 계상하지 않는 금액은 자본준비금으로 계상해야 함).

③ 회사의 자본금은 액면주식을 무액면주식으로 전환하거나, 무액면주식을 액면주식으로 전환함으로써 변경할 수 없다.

④ 주식회사의 최저자본금은 종전에는 5,000만 원 이상이었으나, 「상법」(법률 제9746호, 2009. 5. 28. 개정, 2010. 5. 29. 시행) 개정으로 최저자본금제도를 폐지하여 누구라도 손쉽게 저렴한 비용으로 회사를 설립할 수 있도록 하였다.

4) 주주의 유한책임

주주는 회사에 대하여 주식의 인수가액을 한도로 하여 출자의무를 부담할 뿐이며, 그 이상 회사에 출연할 책임을 부담하지 않는다. 따라서 회사가 채무초과상태에 있다고 하더라도 주주는 회사의 채권자에게 변제할 책임이 없다. 이를 주주의 유한책임이라고 한다.

※ 주식회사의 설립과정

주식회사를 설립하려면 우선 발기인을 구성하여 회사상호와 사업목적을 정한 다음, 발기인이 정관을 작성한다. 정관작성 후에는 주식발행사항을 결정하고 발기설립 또는 모집설립의 과정을 거쳐 법인설립등기, 법인설립신고 및 사업자등록을 하면 모든 설립행위가 완료된다.

5) 발기인

① 발기인 개념

주식회사를 설립하는 사람을 발기인이라고 한다. 주식회사 설립절차에는 발기인이 중요한 역할을 하므로, 누가 발기인이 될 수 있는가는 주식회사 설립에 있어서 중요한 문제이다.

발기인은 주식회사를 설립할 때 회사의 정관을 작성하고, 그 정관에 기명날인 또는 서명을 해야 한다.

② 발기인의 자격조건

발기인이 될 수 있는 자격조건에는 제한이 없다. 따라서 법인이나 미성년자도 주식회사의 발기인이 될 수 있다.

③ 발기인의 인원수

주식회사 설립 시 필요한 발기인의 인원수에는 제한이 없으므로, 발기인의 구성은 1인만으로도 가능하다.

④ 발기인 조합

2명 이상의 발기인이 회사설립에 관한 의사가 합치하여 단체를 만든 경우 그 단체는 발기인조합계약에 의해 체결된 조합에 해당하며, 「민법」에 따른 조합규정이 적용된다. 따라서 발기인조합의 의사결정은 발기인의 과반수로 한다.

다만, 「상법」에서 발기인 전원의 동의가 필요한 것으로 규정하고 있는 정관작성이나 주식발행사항을 결정할 때(정관에 달리 정함이 없는 경우)에는 발기인 전원의 동의가 있어야 한다.

⑤ 회사가 성립한 경우 발기인의 책임

가) 자본충실책임(資本充實責任)

회사설립 시에 발행한 주식으로서 회사성립 후에 아직 인수되지 않은 주식이 있거나 주식인수의 청약이 취소된 때에는 발기인이 이를 공동으로 인수한 것으로 본다.

회사성립 후 주식인수가액의 납입을 완료하지 않은 주식이 있는 때에는 발기인은 연대하여 그 납입을 해야 한다.

※ 대표이사는 발기인에게 자본충실책임 외에도 아래의 손해배상을 청구할 수 있다.

나) 손해배상책임

- 회사에 대한 손해배상책임

  발기인이 회사의 설립에 관하여 그 임무를 게을리한 때에는 그 발기인은 회사에 대하여 연대하여 손해를 배상할 책임이 있다. 다만, 주주 전원의 동의가 있는 경우 발기인은 회사가 입은 손해에 대한 배상책임을 면제받을 수 있다.

  대표이사가 발기인에게 책임을 추궁하지 않는 경우, 발행주식총수 100분의 1 이상의 주식을 가진 주주는 회사에 대하여 발기인의 책임을 추궁할 수 있는 소를 제기할 수 있으며, 회사가 이러한 청구를 받은 날부터 30일 이내에 소를 제기하지 않으면 주주는 즉시 회사를 위해 소를 제기할 수 있다.

- 제3자에 대한 손해배상책임

  발기인이 회사의 설립에 관하여 악의 또는 중대한 과실로 인하여 그 임무를 게을리한 때에는 그 발기인은 제3자에 대하여도 연대하여 손해를 배상할 책임이 있다.

⑥ 회사가 성립하지 못한 경우 발기인의 책임

회사가 성립하지 못한 경우에는 발기인은 그 설립에 관한 행위에 대하여 연대하여 책임을 진다. 회사가 성립하지 못한 경우 회사의 설립에 관하여 지급한 비용은 발기인이 부담한다.

3 법인등기부등본

(1) 법인등기란?

법인이라 함은 자연인 이외의 것으로서 법인격(권리능력)이 인정된 권리, 의무의 주체를 말하는데, 법인에 관한 등기는 다음과 같이 상업등기, 민법법인등기, 특수법인등기로 구분된다(다만, 합자조합에 관한 등기나 개인상인의 상호등기 등은 법인에 관한 등기는 아니지만 상업등기에 포함된다).

상업등기란 상법, 상업등기법 등의 법령에 의하여 등기관이 상업등기부라는 공적장부에 회사, 지배인, 기타 상인에 관한 일정한 사항을 법정 절차에 따라 기록하는 것 또는 그 기록 자체를 말한다.

민법법인등기란 민법에 의하여 설립되는 비영리목적의 사단법인과 재단법인에 관한 등기를, 특수법인등기란 상법상 회사, 민법상 사단법인과 재단법인을 제외한 그 밖의 법률에 의하여 설립되는 법인에 관한 등기를 말한다. 민법법인은 주무관청의 허가를 받아야 이를 법인으로 설립 등기할 수 있는 허가주의를, 상법상 회사는 일정한 상법상 요건만 갖추면 법인으로 설립 등기할 수 있는 준칙주의를, 특수법인은 해당 법인의 설립 근거법률의 입법목적에 따라 허가주의 또는 준칙주의 등의 태도를 취하고 있다.

(2) 법인등기의 종류

1) 기입등기

새로운 등기원인에 기하여 어떤 사항을 등기기록에 새로이 기입하는 등기

예 상호등기, 설립등기, 해산등기, 청산등기, 회생절차개시등기

2) 변경등기

어떤 등기가 행하여진 후에 등기된 사항에 변경이 생겨서 변경사항을 기록하는 등기

예 임원변경, 지배인변경, 주사무소이전, 분사무소설치, 명칭변경

3) 경정등기

이미 행하여진 등기에 대하여 그 절차에 착오가 있어 잘못 등기된 경우 바로 잡기 위해 하는 등기

4) 말소등기

이미 등기된 사항을 법률적으로 소멸시키기 위해 하는 등기

예 상호폐지의 등기, 지배인사임의 등기, 회사의 청산종결등기

5) 회복등기

기존 등기가 부당하게 소멸된 경우 이를 부활하는 등기

(3) 지점의 등기

1) 상법 제35조(지점소재지에서의 등기)

본점의 소재지에서 등기할 사항은 다른 규정이 없으면 지점의 소재지에서도 등기하여야 한다.

2) 상법 제37조(등기의 효력)

- 등기할 사항은 이를 등기하지 아니하면 선의의 제3자에게 대항하지 못한다.
- 등기한 후라도 제3자가 정당한 사유로 인하여 이를 알지 못한 때에는 제1항과 같다.

3) 상법 제38조(지점소재지에서의 등기의 효력)

지점의 소재지에서 등기할 사항을 등기하지 아니한 때에는 전조의 규정은 그 지점의 거래에 한하여 적용한다.

(4) 법인등기부등본의 기재사항

- 법인등기부등본의 기재사항은 정관 절대적 기재사항이 기재된다. 구체적인 내용은 정관 기재사항에 확인하도록 한다.

– 목적, 상호, 회사가 발행할 주식의 총수, 액면주식을 발행하는 경우 1주의 금액(무액면주식을 발행하는 경우에는 해당 없음), 회사 설립 시 발행하는 주식의 총수, 본점의 소재지, 회사가 공고를 하는 방법, 발기인의 성명·주민등록번호 및 주소

4 정관 작성

(1) 발기인의 정관 작성

"정관(定款)"이란 회사의 조직과 활동을 정한 근본규칙 또는 이를 기재한 서면을 말한다. 주식회사를 설립할 때에는 발기인이 정관을 작성해야 한다(「상법」 제288조).

(2) 정관의 기재사항

1) 절대적 기재사항

- 정관에 반드시 기재해야 하고, 만일 누락될 경우 정관이 무효가 되어 결과적으로 회사설립 자체가 무효
- 정관에 반드시 기재해야 하는 절대적 기재사항(「상법」 제289조 제1항)

① 목적

회사의 주목적과 부목적이 있고, 앞으로 계획하고 있는 목적 등이 있을 수 있다. 이를 모두 기재할 수 있다. 하지만 너무 많은 목적을 추가할 경우 자칫 목적이 불분명한 회사로 오인될 소지도 있으므로, 너무 많은 목적을 기재하는 것은 부적절할 수 있다.

② 상호

동일 등기소 관할, 동일 업종이 없는 경우이어야 유사상호에 해당되지 않아서 사용이 가능하다.

③ 회사가 발행할 주식의 총수

향후 발행할 주식 수를 기재하는 것으로 유상증자나 투자를 받을 계획이 있는 경우는 좀 더 여유 있는 주식의 총수를 기재해야 한다.

④ 액면주식을 발행하는 경우 1주의 금액

무액면 주식을 발행하는 경우에는 해당 없음

⑤ 회사 설립 시 발행하는 주식의 총수

과거에는 최소자본금 5천만 원 이상이 되어야 했지만, 현재는 상법 개정으로 회사의 자본금은 100원 이상이면 가능하다.

⑥ 본점의 소재지

본점의 소재는 실제적으로 본점을 운영하는 곳을 기재하여야 한다. 하지만 실제 공장은 경기도에 있고 서울 업무총괄장소에 있는 경우 서울로 기재가 가능하다.

※ 본점소재지

- 본점소재지는 회사의 주소가 된다(「상법」 제171조).
- 정관에 창립총회 소집 장소에 대해 규정이 없으면 발기인은 회사 본점소재지 또는 인접한 장소에서 창립총회를 개최해야 한다(「상법」 제308조 제2항 및 제364조).
- 본점소재지는 회사설립무효의 소, 회사설립취소의 소 및 채권자에 의한 설립취소의 소와 같은 회사 관련 소송이 제기될 경우에 소송의 관할 표준지가 된다(「상법」 제184조, 제185조 및 제186조).

⑦ 회사가 공고를 하는 방법

회사의 공고는 관보 또는 시사에 관한 사항을 게재하는 일간신문에 해야 한다. 다만, 회사는 그 공고를 정관으로 정하는 바에 따라 회사의 인터넷 홈페이지에 게재하는 방법으로도 할 수 있다(「상법」 제289조 제3항 및 「상법 시행령」 제6조 제1항).

⑧ 발기인의 성명·주민등록번호 및 주소

대표이사는 취임일자, 사임일자와 주소지가 기재되고, 기타 등기임원은 취임일자와 사임일자가 기재된다.

2) 상대적 기재사항

정관에 기재가 누락되더라도 정관의 효력에는 영향이 없지만, 해당 내용이 구속력을 가지기 위해서는 정관에 기재되며, 정관의 상대적 기재사항에는 ① 변태설립사항과 ② 그 밖의 상대적 기재사항이 있다.

① 변태설립사항

- "변태설립사항"이란 주식회사 설립 당시에 발기인에 의해 남용되어 자본충실을 해칠 우려가 있는 사항으로서, 반드시 정관에 기재해야만 효력이 있는 다음의 사항을 말한다(「상법」 제290조).

※ 제290조(변태설립사항) 다음의 사항은 정관에 기재함으로써 그 효력이 있다.
1. 발기인이 받을 특별이익과 이를 받을 자의 성명
2. 현물출자를 하는 자의 성명과 그 목적인 재산의 종류, 수량, 가격과 이에 대하여 부여할 주식의 종류와 수
3. 회사 성립 후에 양수할 것을 약정한 재산의 종류, 수량, 가격과 그 양도인의 성명
4. 회사가 부담할 설립비용과 발기인이 받을 보수액

- 이 중에서 현물출자에 관한 사항은 출자재산을 과대평가할 위험이 있기 때문에 현물출자하는 사람의 성명과 그 목적재산의 종류, 수량, 가격 등을 정관에 작성하도록 하고 있다. 한편, 변태설립사항은 모집주주의 주식청약서에 기재해야 하고, 검사인의 조사를 받도록 하고 있다(「상법」 제299조 및 제302조 제2항 제2호).
- 현물출자를 하는 발기인은 납입기일에 지체 없이 출자의 목적인 재산을 인도하고 등기, 등록 그 밖의 권리의 설정 또는 이전을 요할 경우에는 이에 관한 서류를 완비하여 교부하여야 한다(「상법」 제295조 제2항).

② 그 밖의 상대적 기재사항

그 밖에 주식매수선택권의 부여(「상법」 제340조의2 제1항), 종류주식발행(「상법」 제344조 제2항), 전환주식의 발행(「상법」 제346조 제1항), 서면투표의 채택(「상법」 제368조의3 제1항), 감사위원회 등 이사회 내부위원회의 설치(「상법」 제393조의2 및 제415조의2), 이사임기의 총회종결까지의 연장(「상법」 제383조 제3항), 대표이사를 주주총회에서 선임하는 것(「상법」 제389조 제1항 단서), 이사회소집기간의 단축(「상법」 제390조 제3항 단서) 등은 정관에 기재하여야 효력이 있다.

3) 임의적 기재사항

정관에 기재되어야만 효력이 생기는 것은 아니지만, 그 내용을 기재하면 그 기재대로 효력이 발생한다.

임의로 정관에 기재하는 사항으로는 주식회사의 본질, 법의 강행규정, 사회질서에 반하지 않는 범위에서 회사운영에 대한 사항(예 이사·감사의 수, 총회의 소집시기, 영업연도, 지점의 설치·이전·폐지 등) 등을 정관에 기재하면 효력이 발생한다.

5 임원과 회사비용 지급규정

(1) 임원의 개념

1) 세법상 임원의 개념

법인세법을 적용함에 있어서 임원이라 함은 아래 같은 법 시행령 제20조 제1항 제4호의 각 목의 직무(법인의 경우 이사회의 구성원 전원, 청산인, 감사, 합명회사, 합자회사 및 유한회사의 업무집행사원 또는 이사, 유한책임회사의 업무집행자 및 이에 준하는 직무)에 종사하는 자를 말하므로 주식회사인 경우 등기여부, 주주여부, 직책 등과 관련 없이 종사하는 직무가 실질적으로 이사회의 구성원이나 청산인, 감사에 해당된다면 법인세법상 임원에 해당된다.

※ 대전지방법원 – 2016 – 구합 – 1389(2017. 5. 11.)

[제 목]
임원은 아니지만 퇴직급여한도액 적용대상 임원에 해당

[요 지]
법인세법상 퇴직급여한도 적용대상 임원에는 상법상의 이사뿐만 아니라 실질적으로 경영 전반의 의사결정과 집행에 적극적으로 참여하거나 사실상 경영에 참여하는 등 상법상 이사에 준하는 직무에 종사하는 자도 포함

(2) 임원의 보수 지급규정

1) 급여의 손금규정

① 근로제공의 대가로 정기적으로 지급하는 일반적인 급여는 사용인과 임원을 구분하지 아니하고 원칙적으로 전액 손금에 산입하나 다음의 급여는 손금에 산입하지 아니한다.

1. 합명회사 또는 합자회사의 노무출자사원에게 지급하는 보수(이익처분에 의한 상여로 본다)
2. 지배주주 등(특수관계에 있는 자를 포함한다)인 임원 또는 사용인에게 정당한 사유 없이 동일 직위에 있는 지배주주 등 외의 임원 또는 사용인에게 지급하는 금액을 초과하여 보수를 지급한 경우 그 초과금액
3. 법인의 비상근임원에게 지급하는 보수 중 부당행위계산 부인에 해당하는 경우

② 여기서 "지배주주 등"이란 법인의 발행주식 총수 또는 출자총액의 100분의 1 이상을 소유한 주주 등으로서 그와 특수관계에 있는 자와의 소유 주식 또는 출자지분의 합계가 해당 법인의 주주 중 가장 많은 경우의 해당 주주 등을 말한다.

2) 근로자의 구분

① 근로자는 임원과 사용인으로 구분되며, 임원은 다음 어느 하나의 직무에 종사하는 자를 말한다.

1. 법인의 회장, 사장, 부사장, 이사장, 대표이사, 전무이사 및 상무이사 등 이사회의 구성원 전원과 청산인
2. 합명회사, 합자회사 및 유한회사의 업무집행사원 또는 이사
3. 유한책임회사의 업무집행자
4. 감사
5. 그 밖에 제1호부터 제4호까지에 준하는 직무에 종사하는 자

② 임원에 해당하는지 여부는 그 직책에 관계없이 종사하는 직무의 실질내용에 따라 판단한다.

※ 법인, 조심-2014-서-1536, 2015. 5. 11., 기각, 완료

[제 목]
쟁점보수가 임원보수의 한도액을 초과한다고 보아 그 초과금액을 손금불산입하여 법인세 과세한 처분은 정당함.

[요 지]
처분청이 쟁점보수의 한도액을 **억 원으로 보아 그 한도초과금액을 손금불산입하여 법인세를 과세한 이 건 처분은 잘못이 없음.

1) 청구법인 주장
청구법인은 2006. 1. 18. 임시주주총회를 개최하여 대표이사 및 임원보수 한도액 ○○○을 승인하였고, 5일 후인 2006. 1. 23. 임시주주총회를 개최하여 임원보수 한도액을 ○○○으로 감액결의하여 2006~2008사업연도까지 한도금액 ○○○ 내에서 임원보수를 지급하였다.

그러나, 이후 청구법인은 2009년 1월 임시주주총회를 열어 영업 활동에 필요한 공사 수주비용 등을 현실화하고 2008년까지의 경영성과를 반영하기 위해 대표이사 및 임원보수한도를 ○○○으로 인상하기로 결정하고 2006. 1. 18.자 임시주주총회에서 결의한 보수한도액을 준용하여 대표이사 및 임원보수한도를 ○○○으로 인상하기로 결정하였으나, 2009년 당시 주주총회의사록은 작성하지 아니하였다.

청구법인과 같이 1인 회사인 주식회사의 경우 주주총회의사록이 작성되지 아니한 경우라도 증거에 의하여 주주총회 결의가 있었던 것으로 볼 수 있는바 ○○○, 청구법인은 2006. 1. 18.자 임시주주총회 임원보수 구성표상 한도액 ○○○을 기준으로 실질적 1인 주주의 결재·승인을 거쳐 2009년부터 임원의 보수를 지급하였으므로, 그 한도액 ○○○을 부인하고, 2006. 1. 23. 의결한 임원보수지급규정상의 한도금액 ○○○을 적용하여 법인세를 과세한 처분은 부당하다.

한편, 2006. 1. 18.자 임시주주총회 의사록에 첨부된 대표이사 및 임원의 직위별 보수한도액을 정한 '임원보수 구성표'는 개별적이고 구체적인 경영성과를 반영하여 산출한 것이므로, 처분청이 구체적이고 개별적인 성과급 기준이 없다고 본 것은 부당하다.

2) 처분청 의견
청구법인은 2009~2011사업연도 중 지급한 쟁점보수에 대하여, 2006. 1. 18. 임시주주총회에서 대표이사 및 임원의 보수한도 총액을 ○○○에서 ○○○으로 인상한 것을 근거로 하였다고 주장하나,

2006. 1. 18.자 주주총회 결의가 경영성과를 반영하여 적정하게 작성한 것이라면, 굳이 일주일 뒤인 2006. 1. 23. 주주총회를 열어 ○○○으로 감액결의를 할 이유가 없고, 청구법인은 감액결의에 대한 구체적인 사유 및 근거를 제출하지 않았으며, 2006년부터 2008년까지 임원의 보수가 ○○○ 한도 내에서 지급된 점 등으로 보아 2006. 1. 18. 임원보수 한도를 ○○○으로 증액결의하였다는 청구법인의 주장은 받아들이기 어렵다.

설사, 청구법인의 주장처럼 2006. 1. 18.자 주주총회에서 ○○○으로 증액 결의한 사실이 있고 의사록은 작성하지 않았지만 2009년 임원보수에 대한 한도를 증액하기 위한 주주총회를 열었다고 하더라도,

청구법인은 대표이사 강○○ 1인이 100% 지분을 소유하고 있는 지배주주이자 등기임원으로서 이사회 및 주주총회의 의사결정 시 절대적·주도적인 역할이 가능하므로 강○○의 의사에 따라 형식적·임의적으로 의결될 수밖에 없는 구조이고, 2009년 임원의 보수를 산정하기 위한 근거로 최근 사업연도의 실적이 아니라 4~6년 전인 2003~2005년 경영성과를 반영한 2006. 1. 18.자 주주총회 결의내용을 준용할 이유가 없으므로, 이는 2009년 임원보수를 산정하기 위한 구체적이고 객관적인 근거라고 보기 어렵다.

따라서, 청구법인이 주장하는 한도금액 ○○○을 부인하고 2006. 1. 23. 의결한 임원보수지급규정상의 한도금액 ○○○을 적용하여 법인세를 과세한 처분은 정당하다.

3) 사실관계 및 판단
청구법인과 처분청이 제출한 심리자료에 의하면, 청구법인은 1995. 6. 1. 개업하여 건설업○○○에 종사하는 사업자인바, 강○○가 그 발행 주식 100%를 소유하고 있고, 공동대표이사는 강○○, 맹○○으로 나타난다.

청구법인의 정관 제33조(보수와 퇴직금)에는 '임원의 보수 또는 퇴직한 임원의 퇴직금은 주주총회의 결의로 정한다'고 규정하고 있는바, 2003. 1. 20., 2005. 1. 18., 2006. 1. 18. 및 2006. 1. 23.자 임시주주총회 의사록 및 임원보수 지급 규정에 의하면 청구법인의 '임원보수 구성표'를 변경하였다.

청구법인의 2006. 1. 18.자 임시주주총회 회의록에 의하면, 임원의 보수 한도를 ○○○에서 ○○○으로 증액하고, 2006년 1월부터 시행하기로 한 것으로 나타나는바, 해당 의사록의 작성일자는 2006. 1. 4.이나 주주총회 개최일시는 2006. 1. 18. 10시로 기재되어 있고, 의장 및 주주 강○○○의 인감이 날인되어 있으나 청구법인 인감은 날인되지 아니하였다.

청구법인은 2006. 1. 23.자 임시주주총회에서 임원의 보수한도를 ○○○에서 ○○○으로 감액

하였고, 처분청은 해당 임원보수 구성표를 기준으로 2009~2012사업연도 중 초과 보수를 손금부인한 것으로 나타난다.

청구법인은 2009년 1월 주주총회를 개최하여 2008년까지의 경영성과를 반영하고 임원의 영업비용을 현실화하기 위해 2006. 1. 18.자 결의된 보수한도 ○○○을 준용하여 보수한도를 ○○○으로 인상하였다고 주장하나, 2009년 1월 주주총회와 관련된 의사록은 작성하지 아니하였다고 인정하였다.

청구법인은 2009~2011년 중 임원보수는 각 개인별 전년도 신규계약 금액을 근거로 하여 산출한 성과급을 포함한 것이고, 총 보수한도는 2005. 1. 18.자 주주총회에서 의결된 ○○○을 준용하였다고 주장하면서, 신규계약 건 명세를 제출하였다.

청구법인은 2009년 보수한도의 인상이 2008년부터의 매출액 증가를 반영한 것으로서, 매출액 대비 대표이사 보수액의 비율이 일정한 것으로 보았을 때 성과를 적정하게 반영하였으므로 개별적이고 구체적인 산정기준이 없다는 사유로 이를 손금불산입할 수 없다고 주장한다.

처분청은 청구법인이 조사종결일까지 임원의 급여산정 기준 및 지급금액에 대한 근거자료를 제시한바 없고, 임원 사이에 차등적으로 상여금이 지급된 사실이 있으며, 당기순이익 대비 대표이사의 보수 비율이 높아 임원 개인에 대한 임금으로 볼 수 없다는 의견이다.

이상의 사실관계 및 관련 법령 등을 종합하여 살피건대, 청구법인은 2009년 1월 주주총회에서 임원보수한도액을 ○○○으로 의결하였고 실질적 1인 주주의 결재·승인을 거쳐 지급하였으므로 쟁점보수를 손금으로 산입하여야 한다고 주장하나, 임원보수의 한도액을 ○○○에서 ○○○으로 증액결의하였다고 주장하는 2009년 1월의 주주총회에 관하여는 주주총회의사록 등 이를 입증할 수 있는 객관적 증빙의 제시가 없으므로 주주총회를 개최하였는지 여부가 불분명해 보이는 점,

청구법인은 1인 주식회사로서 주주 겸 공동대표이사인 강○○○가 임원보수 한도액 증액에 대하여 승인하였고 주주총회라는 형식적 절차를 거치지 아니하였다 하더라도 1인 회사에 있어서 1인 주주의 승인은 절차적 흠결을 치유한다고 주장하나, 1인 회사라 하더라도 주주총회 등을 거쳐 급여지급기준을 정하여야 하고 최소한 주주총회의사록이 작성되어 있지 아니하다면 주주총회가 개최되었다고 보기 어려운 점, 청구법인은 강○○○ 1인이 100% 지분을 소유하고 있는 지배주주이자 등기임원으로서 이사회 및 주주총회에서의 의사결정 시 절대적·주도적인 역할이 가능한 것으로 보이는 점 등에 비추어 청구주장을 받아들이기 어려워 보인다.

따라서, 처분청이 쟁점보수에 대하여 보수한도를 초과하였다고 보아 그 초과액을 손금불산입

하여 법인세를 과세한 이 건 처분은 잘못이 없다고 판단된다.

법인세법 시행령 제43조【상여금 등의 손금불산입】

① 법인이 그 임원 또는 사용인에게 이익처분에 의하여 지급하는 상여금(제20조 제1항 각 호의 1에 해당하는 성과급을 제외한다)은 이를 손금에 산입하지 아니한다. 이 경우 합명회사 또는 합자회사의 노무출자사원에게 지급하는 보수는 이익처분에 의한 상여로 본다.

② 법인이 임원에게 지급하는 상여금 중 정관·주주총회·사원총회 또는 이사회의 결의에 의하여 결정된 급여지급기준에 의하여 지급하는 금액을 초과하여 지급한 경우 그 초과금액은 이를 손금에 산입하지 아니한다.

③ 법인이 지배주주등(특수관계에 있는 자를 포함한다. 이하 이 항에서 같다)인 임원 또는 사용인에게 정당한 사유없이 동일 직위에 있는 지배주주등 외의 임원 또는 사용인에게 지급하는 금액을 초과하여 보수를 지급한 경우 그 초과금액은 이를 손금에 산입하지 아니한다.

④ 상근이 아닌 법인의 임원에게 지급하는 보수는 법 제52조에 해당하는 경우를 제외하고 이를 손금에 산입한다.

⑦ 제3항에서 "지배주주등"이란 법인의 발행주식총수 또는 출자총액의 100분의 1 이상의 주식 또는 출자지분을 소유한 주주등으로서 그와 특수관계에 있는 자와의 소유 주식 또는 출자지분의 합계가 해당 법인의 주주등 중 가장 많은 경우의 해당 주주등(이하 "지배주주등"이라 한다)을 말한다.

⑧ 제3항 및 제7항에서 "특수관계에 있는 자"란 해당 주주등과 다음 각 호의 어느 하나에 해당하는 관계에 있는 자를 말한다.

1. 해당 주주등이 개인인 경우에는 다음 각 목의 어느 하나에 해당하는 관계에 있는 자
   가. 친족(「국세기본법 시행령」 제1조의2 제1항에 해당하는 자를 말한다. 이하 같다)

(3) 임원의 상여금 지급규정

법인이 근로자에게 지급하는 상여금은 원칙적으로 손금에 산입하나, 다음의 상여금은 손금에 산입하지 아니한다.

1. 임원 또는 사용인에게 이익처분에 따라 지급하는 상여금
2. 임원에 대한 상여금 중 정관·주주총회·사원총회 또는 이사회의 결의에 따라 결정된 급여지급기준을 초과하여 지급한 경우 그 초과금액
3. 상여로 처분된 금액

※ 수원지방법원-2018-구합-62059(2018. 9. 19.)

[제 목]

임원상여금이 손금에 해당하는지 여부

[요 지]

이 사건 임원들에게 지급한 실적상여금 중 원고의 임원보수 지급규정에서 정한 지급률을 초과하여 지급한 실적상여금 부분은 손금에 산입할 수 없다.

1. 처분의 경위

가. 원고는 2001. 8. 7. 각종 전자장비의 제조 및 판매업 등을 목적으로 하여 설립된 법인이고, 원고의 임원으로는 대표이사 김a, 사내이사 최bb, 감사 유cc(이하 통틀어 '이 사건 임원들'이라고 한다)이 있다.

나. 중부지방국세청장은 원고에 대한 법인세 조사를 실시하여, 원고가 2011사업연도부터 2015사업연도까지 이 사건 임원들에게 상여금(기본상여금 및 실적상여금)으로 지급한 금액 중 14,987,000,000원을 구체적인 지급규정 없이 임의로 과다하게 지급한 상여금으로 보고 법인세법 제26조, 법인세법 시행령 제43조 제2항에 따라 이를 손금불산입하여 피고로 하여금 원고에게 법인세 합계 4,374,305,000원을 부과하도록 통보하였으며, 이에 따라 피고는 2017. 3. 13. 및 2017. 5. 2. 원고에게 아래와 같이 법인세를 각 부과·고지하였다.

다. 그 후 원고는 이의신청을 거쳐 2017. 10. 27. 국세청장에게 심사청구를 제기하였고, 국세청장은 2017. 12. 21. '원고의 임원보수 지급규정에 따라 지급한 상여금을 부당하거나 과다하게 지급되었다고 보기 어려우므로, 피고가 손금불산입한 상여금 합계 14,987,000,000원 중 임원보수 지급규정에서 정하고 있는 지급률을 초과하여 지급한 실적상여금 4,506,045,740원을 제외한 나머지 10,480,954,260원(=14,987,000,000원-4,506,045,740원)을 손금으로 인정하여 과세표준과 세액을 경정한다'는 내용의 결정을 하였다.

라. 피고는 국세청장의 위와 같은 결정에 따라 2018. 1. 4. 원고가 이 사건 임원들에게 지급한 실적상여금 중 임원보수 지급규정에서 정하고 있는 지급률을 초과하여 지급한 부분에 대하여만 법인세를 과세하는 것으로 아래 표의 기재와 같이 원고에 대한 법인세를 감액·경정하였다(이하 이와 같이 각 감액되고 남은 각 법인세 부과처분 부분을 통틀어 '이 사건 처분'이라고 한다).

2. 판단

법인세법 제26조는 '대통령령으로 정하는 바에 따라 과다하거나 부당하다고 인정되는 금액'을 손금에 산입하지 않도록 규정하고 있으므로, 임원에게 지급된 상여금이 법인세법 시행령 제43조 제2항에서 정한 요건에 해당하는 경우, 과다하거나 부당한 손비에 해당하여 손금에 산입할 수 없다고 보아야 하고, 원고가 주장하는 바와 같이 임원에게 지급된 상여금이 법인세법 시행령 제43조 제2항에서 정한 요건에 해당함에도, 근로 제공에 대한 적정한 대가에 해당하는지 여부를 다시 판단하여 손금산입 여부를 결정하여야 한다고 보는 것은 법인세법 및 법인세법 시행령 관련 규정의 문언 및 체계에 위배될 뿐만 아니라, 법인세법 시행령 제43조 제2항에서 규정하고 있는 손금불산입의 요건을 사실상 무의미하게 하는 결과가 초래되어 이를 받아들일 수 없다. 따라서 원고의 위 주장은 이유 없다.

3. 결론
그렇다면 원고의 이 사건 청구는 이유 없으므로 이를 기각하기로 하여 주문과 같이 판결한다.

(4) 임원의 퇴직금 지급규정

1) 세법상 퇴직급여

① 퇴직급여란 임원 또는 사용인이 일정기간 근속하고 퇴직하는 경우에 연금 또는 일시금으로 지급하는 인건비를 말하며, 「법인세법」상 퇴직급여는 「근로자퇴직급여 보장법」에 따른 퇴직금 및 퇴직연금으로서 임원 또는 사용인이 현실적으로 퇴직하는 경우에 지급하는 것에 한하여 손금에 산입한다.

② 현실적으로 퇴직하지 아니한 임원 또는 사용인에게 지급한 퇴직급여는 이를 손금에 산입하지 아니하고 해당 임원 또는 사용인이 현실적으로 퇴직할 때까지 업무무관 가지급금으로 본다.

③ 사용인에게 지급하는 퇴직급여(퇴직급여지급규정이 있는 경우에는 동 규정에 따라 계산한 금액, 퇴직급여지급규정이 없는 경우에는 「근로자퇴직급여보장법」에 따라 계산한 금액)는 전액 손금에 산입하나, 임원에게 지급하는 퇴직급여는 손금산입 범위액 이내의 금액만 손금에 산입한다.

2) 현실적인 퇴직의 범위

① 현실적인 퇴직은 퇴직급여를 실제로 지급한 경우로서, 다음의 어느 하나에 해당하는 경우를 포함한다.

1. 법인의 사용인이 해당 법인의 임원으로 취임한 때. 이 경우 사용인이 26-43-2 제1항에 따른 임원에 해당하게 된 날을 현실적인 퇴직일로 한다.

2. 법인의 임원 또는 사용인이 그 법인의 조직변경·합병·분할 또는 사업양도에 따라 퇴직한 때
3. 「근로자퇴직급여보장법」 제8조 제2항에 따라 퇴직급여를 중간정산하여 지급한 때(중간정산 시점부터 새로 근무연수를 기산하여 퇴직급여를 계산하는 경우에 한정한다)
4. (삭제)
5. 임원에게 정관 또는 정관에서 위임된 퇴직급여지급규정에 따라 장기 요양 등의 사유로 그때까지의 퇴직급여를 중간정산하여 지급한 때(중간정산 시점부터 새로 근무연수를 기산하여 퇴직급여를 계산하는 경우에 한정한다)
6. 법인의 직영차량 운전기사가 법인소속 지입차량의 운전기사로 전직하는 경우
7. 법인의 임원 또는 사용인이 사규에 따라 정년퇴직을 한 후 다음날 동 법인의 별정직 사원(촉탁)으로 채용된 경우
8. 합병으로 소멸하는 피합병법인의 임원이 퇴직급여지급규정에 따라 퇴직급여를 실제로 지급받고 합병법인의 임원이 된 경우
9. 법인의 상근임원이 비상근임원으로 된 경우

② 다음의 어느 하나에 해당하는 경우에는 현실적인 퇴직으로 보지 아니한다.

1. 임원이 연임된 경우
2. 법인의 대주주 변동으로 인하여 계산의 편의, 기타 사유로 전사용인에게 퇴직급여를 지급한 경우
3. 외국법인의 국내지점 종업원이 본점(본국)으로 전출하는 경우
4. 정부투자기관 등이 민영화됨에 따라 전종업원의 사표를 일단 수리한 후 재채용한 경우
5. 「근로자퇴직급여보장법」 제8조 제2항에 따라 퇴직급여를 중간정산하기로 하였으나 이를 실제로 지급하지 아니한 경우. 다만, 확정된 중간정산 퇴직급여를 회사의 자금사정 등을 이유로 퇴직급여 전액을 일시에 지급하지 못하고 노사합의에 따라 일정기간 분할하여 지급하기로 한 경우에는 그 최초 지급일이 속하는 사업연도의 손금에 산입한다.

6. 법인분할에 있어서 분할법인이 분할신설법인으로 고용을 승계한 임직원에게 퇴직금을 실제로 지급하지 아니하고 퇴직급여충당금을 승계한 경우
7. 법인의 임원 또는 사용인이 특수관계 있는 법인으로 전출하는 경우에 전입법인이 퇴직급여상당액을 인수하여 퇴직급여충당금으로 계상한 때

※ 서울행정법원 – 2016 – 구합 – 72099(2017. 5. 18.)

[제 목]
특정 임원에게만 해당하는 퇴직금지급규정은 계속적·반복적으로 적용해 온 일반적이고 구체적인 지급규정으로 볼 수 없음.

[요 지]
임원에게 임의로 퇴직금을 지급하기 위한 방편으로 지배주주 등의 지배력에 의해 정관이 급조되었다거나, 정관에서 특정 임원에게만 정당한 이유 없이 퇴직금액을 고액으로 정하거나 지급배율을 차별적으로 높게 정하였다는 등의 특별한 사정이 있다면 계속적이고 반복적으로 적용하여 온 일반적이고 구체적인 지급규정으로 볼 수 없음.

※ 법인, 서면 – 2017 – 법인 – 0411[법인세과 – 1626], 2017. 6. 22.

[제 목]
임원 퇴직금 중간정산 후 퇴직연금 불입액 손금 여부

[요 지]
내국법인이 임원에 대한 급여를 연봉제로 전환하면서 향후 퇴직금을 지급하지 아니하는 조건으로 그때까지의 퇴직금을 정산하여 지급하고 추후 주주총회에서 임원의 급여를 연봉제 이전의 방식으로 전환하되 그 전환일로부터 기산하여 퇴직금을 지급하기로 결의한 경우 퇴직연금 손금산입 가능함.

[회 신]
내국법인이 임원에 대한 급여를 연봉제로 전환하면서 향후 퇴직금을 지급하지 아니하는 조건으로 그때까지의 퇴직금을 정산하여 지급하고 추후 주주총회에서 임원의 급여를 연봉제 이전의 방식으로 전환하되 그 전환일로부터 기산하여 퇴직금을 지급하기로 결의한 경우, 내국법인이 임원에 대하여 「근로자퇴직급여보장법」에 따른 확정기여형 퇴직연금을 설정함에 따라 지출하는 부담금은 「법인세법 시행령」 제44조의2 제3항에 의하여 손금에 산입하되 퇴직 시

까지 부담한 부담금의 합계액을 임원의 퇴직급여로 보아 같은 법 시행령 제44조 제4항을 적용하는 것이며, 내국법인이 임원에 대하여 「근로자퇴직급여보장법」에 따른 확정급여형 퇴직연금을 설정함에 따라 지출하는 부담금은 「법인세법 시행령」 제44조의2 제4항에 따라 손금산입하는 것입니다.
이 경우에도 법인이 임원에 대한 퇴직금을 정관의 위임규정이 없이 이사회결의로 정한 퇴직급여규정에 의해 지급하는 경우 「법인세법 시행령」 제44조 제4항 제1호의 규정을 적용하지 아니하고 같은 항 제2호에서 정하는 금액을 한도로 손금산입하는 것입니다.

※ 소득, 서면 – 2017 – 법령해석소득 – 3095[법령해석과 – 2847], 2018. 10. 29.

[제 목]
임원 퇴직금 한도 계산 시 '지급받은 총급여'에 무보수 기간 동안의 급여 상당액 포함 여부

[요 지]
「소득세법」 제22조 제3항 규정에 따른 '3년 동안 지급받은 총급여'는 실제로 지급받은 금액을 의미하는 것입니다.

[회 신]
귀 서면질의의 경우, 주주총회 의결을 통해 임원에 대한 급여를 지급하지 않기로 함에 따라 실제로 지급되지 아니하였으며, 이에 대한 소득세가 과세되지 아니한 무보수 기간 동안의 급여 상당액은 「소득세법」 제22조 제3항의 '퇴직한 날부터 소급하여 3년 동안 지급받은 총급여'에 포함되지 않는 것입니다.

(5) 유족보상금 지급규정

임원 또는 사용인(지배주주등인 자는 제외한다)의 사망 이후 유족에게 학자금 등으로 일시적으로 지급하는 금액으로서 임원 또는 사용인의 사망 전에 정관이나 주주총회·사원총회 또는 이사회의 결의에 의하여 결정되어 임원 또는 사용인에게 공통적으로 적용되는 지급기준에 따라 지급되는 금액은 세법상 손비의 범위에 포함된다.

※ 상증, 재산세과-166, 2011. 3. 30.

[제 목]

근로기준법상 근로자가 지급받는 유족보상금은 상속재산에 해당되지 않음.

[요 지]

근로자의 업무상 사망으로 인하여 「근로기준법」 등을 준용하여 사업자가 그 근로자의 유족에게 지급하는 유족보상금 또는 재해보상금과 그 밖에 이와 유사한 것에 해당하는 금액의 경우 상속재산으로 보지 아니하는 것임.

[회 신]

「상속세 및 증여세법」 제10조 제5호의 규정에 따라, 근로자의 업무상 사망으로 인하여 「근로기준법」 등을 준용하여 사업자가 그 근로자의 유족에게 지급하는 유족보상금 또는 재해보상금과 그 밖에 이와 유사한 것에 해당하는 금액의 경우 상속재산으로 보지 아니하는 것입니다. 귀 질의의 경우는 해당 임원의 선임경위, 수행하는 업무, 사용자와의 관계 등으로 보아 「근로기준법」상 근로자에 해당하는지 여부를 구체적으로 확인하여 판단할 사항입니다.

[관련법령]

상속세 및 증여세법 제1조【상속세 과세대상】

※ 상증, 서면-2017-상속증여-1650[상속증여세과-517], 2019. 6. 12.

[제 목]

유족보상금이 상속재산에 해당하는지 여부

[요 지]

근로자의 업무상 사망으로 인하여 「근로기준법」 등을 준용하여 사업자가 그 근로자의 유족에게 지급하는 유족보상금 또는 재해보상금과 그 밖에 이와 유사한 것에 해당하는 금액의 경우 상속재산으로 보지 아니하는 것임.

[회 신]

귀 질의의 경우 붙임 기존 해석사례 재산세과-166(2011. 3. 30.)을 참고하시기 바랍니다.

[관련법령]

상속세 및 증여세법 제10조【상속재산으로 보는 퇴직금 등】

(6) 복리후생비 지급규정

법인이 그 임원 또는 사용인(파견근로자를 포함한다)을 위하여 지출한 복리후생비 중 다음의 어느 하나에 해당하지 아니하는 비용은 이를 손금에 산입하지 아니한다.

1. 직장체육비
2. 직장문화비
3. 직장회식비
4. 우리사주조합의 운영비
5. 「국민건강보험법」 및 「노인장기요양보험법」에 따라 사용자로서 부담하는 보험료 및 부담금
6. 「영유아보육법」에 따라 설치된 직장보육시설의 운영비
7. 「고용보험법」에 따라 사용자로서 부담하는 보험료
8. 기타 임원 또는 사용인에게 사회통념상 타당하다고 인정되는 범위 안에서 지급하는 경조사비 등 제1호부터 제7호까지의 비용과 유사한 비용

※ 소득, 조심2008중1263, 2008. 9. 17., 인용, 완료

[제 목]
가족에게 급여 및 복리후생비 등으로 지출한 금액을 필요경비불산입한 처분의 당부

[요 지]
도선사업은 24시간 재택비상, 해상근무 등을 하여야 하는 업무의 특성상 자신이 모든 업무를 처리하기 불가하고 청구인의 가족이 운전, 경리업무를 한 사실이 확인되므로 처분청이 이 금액을 필요경비불산입하여 종합소득세를 과세한 처분을 잘못됨.

[관련법령]
소득세법 제27조【필요경비의 계산】

(7) 학자금 지급규정

임원 또는 사용인에게 지급하는 자녀교육비 보조금은 그 임원 또는 사용인에 대한 인건비로 보아 손금에 산입한다. 다만, 임원의 경우 급여지급기준을 초과하는 상여금 해당액 및 지배주주인 임원의 경우 지배주주 외의 임원 보수를 초과하는 보수에 해당하

는 금액은 손금에 산입하지 아니한다.

※ 서면1팀-1673, 2007. 12. 6.

[제 목]
자치회비 및 교재비는 근로소득세가 비과세되는 학자금에 해당하지 아니함.

[질 의]
(사실관계)
당사는 당사의 업무능력 향상을 위하여 임직원에게 당사의 업무와 관련이 있는 교육 및 훈련을 외부교육기관(야간대학원, 최고경영자과정 등)을 이용하여 이수하도록 장려하고 있으며, 교육이수를 위하여 소요되는 학자금을 당해 임직원들에게 지원하고 있음.

* 당사가 임직원에게 지원하는 학자금의 범위
① 수업료 전액: 당해 교육기관이 수업료로서 징수하는 금액
② 자치회비 전액: 대학원 등의 교육에는 필수적으로 자치회가 결성되어 있으며, 등록금 납입 시 자치회비도 동시에 납부를 하여야만 등록이 가능함. 다만, 자치회비 영수증은 자치회장의 명의로 발부됨.
③ 교재비: 교육기간 동안 일정액(50만 원/1회, 매 학기)

(질의내용)
상기의 학자금 지원액 중 자치회비와 교재비도 소득세법 시행령 제11조에서 규정하는 학자금의 범위에 포함되어 비과세소득에 해당하는지 여부

[회 신]
근로소득세가 비과세되는 학자금이라 함은 근로자(임원 포함)의 초·중등교육법 및 고등교육법에 의한 학교(외국에 있는 이와 유사한 교육기관 포함)와 근로자직업훈련촉진법에 의한 직업능력개발훈련시설에서 받는 교육을 위해 지급받는 입학금·수업료·수강료 기타 공납금으로서 소득세법 시행령 제11조 각 호의 요건을 갖춘 학자금을 말하는 것으로 귀 질의의 내용이 여기에 해당하는지는 사실판단할 사항인 것이나, 자치회비 및 교재비는 이에 해당하지 않는 것임.

■ 종업원(임원 포함)이 회사로부터 받는 자녀학자금은 종업원의 과세대상 근로소득에 해당하는 것이나 종업원이 회사로부터 받는 본인 학자금은 원론적으로 급여성 대가로 보아 근로소득이 과세되는 것이나, 소득세법 시행령 제11조에 따른 비과세 학자금의 적용요건 충족 시 근로소득이 비과세되는 것입니다.

비과세 학자금(대학원 포함)

「초·중등교육법」 및 「고등교육법」에 따른 학교(대학원을 포함하며, 외국에 있는 이와 유사한 교육기관도 해당)와 「근로자직업능력개발법」에 따른 직업능력개발훈련시설의 입학금·수업료·수강료 그 밖의 공납금 중 다음 각 호의 요건을 갖춘 학자금(당해 연도에 납입할 금액을 한도로 한다)

※ 비과세 학자금의 적용 요건(영 제11조)

㉮ 근로자가 종사하는 사업체의 업무와 관련 있는 교육·훈련을 위하여 지급받는 학자금으로서,

㉯ 당해 업체의 규칙 등에 정해진 지급기준에 의하여 지급되고,

㉰ 교육·훈련기간이 6개월 이상인 경우에는 교육·훈련 후 교육기간을 초과하여 근무하지 않는 경우 반납하는 조건일 것

- 종업원이 사설어학원 수강료를 지원받는 금액은 비과세 소득으로 보는 학자금에 해당하지 아니함(서면1팀-1499, 2004. 11. 8.).
- 자치회비 및 교재비는 비과세되는 학자금에 해당하지 아니함(서면1팀-1673, 2007. 12. 6.).

※ 법인, 서면-2016-법인-3222[법인세과-1228], 2016. 5. 18.

[제 목]

유족학자금 등의 손금 인정 요건

[요 지]

유족에게 지급하는 학자금 등의 손금산입 요건은 임원 또는 사용인의 사망 이후 유족에게 학자금 등으로 일시적 지급하는 금액으로서 임원 또는 사용인의 사망 전에 정관이나 주주총회·사원총회 또는 이사회의 결의에 의하여 결정되어 임원 또는 사용인에게 공통적으로 적용되는 지급기준에 따라 지급되는 것을 말함.

(8) 임원 여행비용 관련 규정

1) 해외 여비 손금산입 기준

① 임원 또는 사용인의 해외여행에 관련하여 지급하는 여비는 그 해외여행이 해당 법인의 업무수행상 통상 필요하다고 인정되는 부분의 금액에 한한다. 따라서 법인의 업무수행상 필요하다고 인정되지 아니하는 해외여행의 여비와 법인의 업

무수행상 필요하다고 인정되는 금액을 초과하는 부분의 금액은 원칙적으로 해당 임원 또는 사용인에 대한 급여로 한다.

다만, 그 해외여행이 여행기간의 거의 전 기간을 통하여 분명히 법인의 업무수행상 필요하다고 인정되는 것인 경우에는 그 해외여행을 위해 지급하는 여비는 사회통념상 합리적인 기준에 따라 계산하고 있는 등 부당하게 과다한 금액이 아니라고 인정되는 한 전액을 해당 법인의 손금으로 한다.

② 임원 또는 사용인의 해외여행에 있어서 그 해외여행 기간에 걸쳐 법인의 업무수행상 필요하다고 인정할 수 없는 여행을 겸한 때에는, 그 해외여행에 관련하여 지급되는 여비를 법인의 업무수행상 필요하다고 인정되는 여행의 기간과 인정할 수 없는 여행의 기간과의 비율에 따라 안분하여 업무수행과 관련이 없는 여비는 이를 해당 임원 또는 사용인에 대한 급여로 한다. 이 경우 해외여행의 직접 동기가 특정의 거래처와의 상담, 계약의 체결 등 업무수행을 위한 것인 때에는 그 해외여행을 기회로 관광을 병행한 경우에도 그 왕복교통비(해당 거래처의 주소지 등 그 업무를 수행하는 장소까지의 것에 한함)는 업무수행에 관련된 것으로 본다.

2) 업무수행상 필요한 해외여행의 판정

① 임원 또는 사용인의 해외여행이 법인의 업무수행상 필요한 것인가는 그 여행의 목적, 여행지, 여행기간 등을 참작하여 판정한다. 다만, 다음에 해당하는 여행은 원칙적으로 법인의 업무수행상 필요한 해외여행으로 보지 아니한다.

1. 관광여행의 허가를 얻어 행하는 여행
2. 여행알선업자 등이 행하는 단체여행에 응모하여 행하는 여행
3. 동업자단체, 기타 이에 준하는 단체가 주최하여 행하는 단체여행으로서 주로 관광목적이라고 인정되는 것

② 제1항 단서에 해당하는 경우에도 그 해외여행 기간 중에 있어서의 여행지, 수행한 일의 내용 등으로 보아 법인의 업무와 직접 관련이 있는 것이 있다고 인정될 때에는 법인이 지급하는 그 해외여행에 소요되는 여비 가운데 법인의 업무에 관련이 있는 부분에 직접 소요된 비용(왕복 교통비는 제외한다)은 여비로서 손금에 산입한다.

3) 해외여행 동반자의 여비처리

임원이 법인의 업무수행상 필요하다고 인정되는 해외여행에 그 친족 또는 그 업무에 상시 종사하고 있지 아니하는 자를 동반한 경우에 있어서 그 동반자와 관련된 여비를 법인이 부담하는 때의 여비는 그 임원에 대한 급여로 한다. 다만, 그 동반이 다음의 경우와 같이 분명히 그 해외여행의 목적을 달성하기 위하여 필요한 동반이라고 인정되는 때에는 그러하지 아니한다.

① 그 임원이 항상 보좌를 필요로 하는 신체장애자이므로 동반하는 경우
② 국제회의의 참석 등에 배우자를 필수적으로 동반하도록 하는 경우
③ 그 여행의 목적을 수행하기 위하여 외국어에 능숙한 자 또는 고도의 전문적 지식을 지닌 자를 필요로 하는 경우에 그러한 적임자가 법인의 임원이나 사용인 가운데 없기 때문에 임시로 위촉한 자를 동반하는 경우

4) 국내여비의 손금산입 기준

임원 또는 사용인의 국내여행과 관련하여 지급하는 여비는 해당 법인의 업무수행상 통상 필요하다고 인정되는 부분의 금액에 한하여 손금에 산입하며, 초과되는 부분은 해당 임원 또는 사용인의 급여로 한다. 따라서 법인의 업무수행상 필요하다고 인정되는 범위 안에서 지급규정, 사규 등의 합리적인 기준에 따라 계산하고 거래증빙과 객관적인 자료에 의하여 지급사실을 입증하여야 한다. 다만, 사회통념상 부득이하다고 인정되는 범위 내의 비용과 해당 법인의 내부통제기능을 감안하여 인정할 수 있는 범위 내의 지급은 그러하지 아니한다.

(9) 기타 임원 관련 경비의 처리

1) 임원 등의 손해배상금의 손금산입

법인이 임원 또는 사용인의 행위 등으로 인하여 타인에게 손해를 끼침으로써 법인이 손해배상금을 지출한 경우에는 그 손해배상의 대상이 된 행위 등이 법인의 업무수행과 관련된 것이고 또한 고의나 중과실로 인한 것이 아닌 경우에는 그 지출한 손해배상금은 각 사업연도의 소득금액 계산상 손금에 산입한다.

2) 임원에 대한 경조비 등의 손금산입

① 출자자인 임원에게 지급한 경조비 중 사회통념상 타당하다고 인정되는 범위 안의 금액은 이를 각 사업연도의 소득금액 계산상 손금에 산입한다.

② 임원의 순직과 관련하여 지급하는 장례비나 위로금 등으로서 사회통념상 타당하다고 인정되는 범위 안의 금액은 이를 해당 사업연도의 손금에 산입할 수 있다.

※ 법인, 조심2013서0095, 2013. 11. 20., 기각, 완료

[제 목]
지출한 경조사비 성격이 대표이사 등이 개인적으로 부담하여야 할 성질의 비용이므로 손금부인함.

[요 지]
쟁점경조사비의 지출처 대부분이 고교동창 및 친지들로 청구법인의 사업인 일반음식점업 및 부동산전대업과 관련이 있다고 보기 어려우므로 청구법인의 대표이사 등이 개인적으로 부담하여야 할 성질의 비용으로 보아 손금부인함.

6 기관의 종류

(1) 주주총회

1) 주주총회

주주 전원으로 구성되는 필요적 상설기관으로서, 법률 정관에 정해진 사항을 결의하는 주식회사 최고의 의사결정기구이다.

2) 주주총회 결의방법

① 보통결의

가. 결의요건

- 주주총회의 결의는 상법 또는 정관에 다른 정함이 있는 경우를 제외하고는 출석한 주주의 의결권의 과반수와 발행주식 총수의 4분의 1 이상의 수로써

하여야 한다.

- 1,000주를 발행한 기업의 주주총회에 600주가 참석한다면 보통결의를 통과하기 위해서는 출석한 의결권의 과반수 300주와 발행주식 총수의 25%인 250주 중 높은 수인 300주 이상을 동의받아야 결의가 된다.

나. 결의사항

- 이사, 감사, 청산인의 선임, 보수 결정
- 주주총회의 의장의 선임
- 자기주식의 취득 결의, 지배주주의 매도청구권
- 결손보전을 위한 자본금의 감소, 법정준비금의 감소
- 재무제표의 승인, 이익의 배당, 주식배당
- 검사인의 선임, 청산인의 해임, 청산 종료의 승인

② 특별결의

가. 결의요건

출석한 주주의 의결권의 3분의 2 이상의 수와 발행주식 총수의 3분의 1 이상의 수로써 하는 결의이다.

- 1,000주를 발행한 기업의 주주총회에 600주가 참석한다면 보통결의를 통과하기 위해서는 출석한 의결권의 3분의 2 이상인 400주와 발행주식 총수의 3분의 1 이상인 333주 중 높은 수인 400주 이상을 동의받아야 결의가 된다.

나. 결의사항

- 정관의 변경
- 영업의 양도, 양수, 합병, 분할
- 주식의 포괄적 교환 이전
- 회사 해산
- 주식매수선택권의 부여
- 제3자에 대한 전환사채, 신주 인수권부 사채의 발행
- 액면미달의 신주발행

– 이사, 감사의 해임

③ 특수결의

총주주의 동의에 의하는 것과 출석한 주식인수인의 3분의 2 이상의 찬성과 인수된 주식총수의 과반수에 의한 결의에 의하는 것이 있다.

가. 총주주의 동의를 요하는 사항

– 이사, 감사, 발기인 등의 회사에 대한 손해배상책임의 면제

– 유한회사 및 유한책임회사로의 조직변경

* 의결권이 배제, 제한된 종류 주식도 포함하여 총주주의 동의가 있어야 한다.

나. 출석한 주식인수인의 3분의 2 이상, 인수된 주식총수의 과반수의 찬성을 요하는 사항

– 모집설립, 신설합병, 분할 시의 창립총회

* 의결권이 배제, 제한된 종류 주식도 포함한다.

(2) 이사, 이사회, 대표이사, 감사

1) 이사

이사는 이사회의 구성원으로서 이사회의 업무에 관한 의사결정과 대표이사 등 이사의 업무집행에 대한 감독에 참여할 권한을 갖는 자를 말한다.

① 선임기관

– 주주총회 보통결의로 선임한다. 회사설립 시 발기설립의 경우 발기인이 선임한다.

② 임기

– 회사는 이사의 임기를 정할 수도 있고 정하지 않을 수도 있다. 이사마다 임기를 다르게 정할 수도 있다. 이사의 임기는 3년을 초과하지 못한다.

③ 해임

– 주주총회 특별결의로 언제든지 이사를 해임할 수 있다.

- 손해배상청구: 임기 전에 해임한 경우 이사는 회사에 대하여 남은 임기의 보수액에 대해서 손해배상을 청구할 수 있지만, 임기가 정해지지 않은 경우 손해배상을 청구할 수 없다.

④ 이사의 보수

- 정관 등에서 이사의 보수는 주주총회의 결의로 정한다고 규정되어 있는 경우 그 금액, 지급방법, 시기 등에 관한 주주총회의 결의가 있었음을 증명하지 못하면 보수청구권을 행사할 수 없다.

⑤ 이사의 책임과 책임의 한도

- 이사가 고의 또는 과실로 법령 또는 정관에 위반한 행위를 하거나 그 임무를 게을리한 경우에는 그 이사는 회사에 대하여 연대하여 손해를 배상할 책임이 있다. 이사회의 결의에 의한 것인 때에는 그 결의에 찬성한 이사도 전항의 책임이 있다.

  다만, 이사의 책임은 주주 전원의 동의로 면제할 수 있다. 이사의 책임을 이사가 그 행위를 한 날 이전 최근 1년간의 보수액(상여금과 주식매수선택권의 행사로 인한 이익 등을 포함한다)의 6배(사외이사의 경우는 3배)를 초과하는 금액에 대하여 면제할 수 있다. 다만, 이사가 고의 또는 중대한 과실로 손해를 발생시킨 경우와 경업금지, 회사의 기회 및 자산의 유용, 이사 등과 회사 간의 거래에 해당하는 경우에는 그러하지 아니하다.

2) 이사회

이사회는 이사 전원으로 구성되어 회사의 업무집행에 관한 의사결정과 이사의 직무집행에 대한 감독 기능을 담당하는 주식회사의 필수적 상설기관이다.

① 이사회의 결의

- 이사회의 결의는 이사 과반수의 출석과 출석이사 과반수로 하여야 한다. 결의요건은 정관으로 그 비율을 높일 수 있다. 그러나 완화할 수는 없다.

② 이사회 결의사항

- 중요한 자산의 처분 및 양도
- 대규모 재산의 차입
- 지배인의 선임 또는 해임과 지점의 설치·이전 또는 폐지
- 사채의 발행, 주식양도의 승인, 주식매수선택권의 취소
- 자기주식의 처분, 자기주식의 소각
- 이사의 직무 집행 감독
- 주주총회 소집권, 이사회 소집권자의 특정
- 이사와 회사 간의 거래 승인, 이사의 경업 거래 승인
- 재무제표의 승인, 영업보고서의 승인
- 중간배당
- 간이 합병, 소규모 합병의 합병계약서 승인
- 간이 주식 교환, 소규모 주식 교환

3) 대표이사

대표이사는 회사를 대표하고 업무를 집행하는 권한을 가진 이사로서 주식회사의 필요적 상설기관이다.

① 선임과 해임

- 대표이사는 이사회에서 선정한다. 그러나 정관으로 주주총회에서 선정할 것으로 정할 수 있다. 대표이사는 이사 중에서 선정한다.
- 회사는 정당한 사유 없이 언제든지 대표이사를 해임할 수 있다. 해임의 의사결정은 선임기관이다. 임기 전 해임 시 이사의 회사에 손해배상 청구권 규정이 준용되지 않고 판례는 손해배상 청구권을 부정하고 있다.

② 대표권

- 대표이사는 회사의 영업에 관하여 재판상, 재판 외의 모든 행위를 할 권한이 있다. 그리고 대표권을 내부적으로 제한하더라도 선의의 제3자에게 대항하지 못한다.

③ 대표이사의 불법행위

– 대표이사가 업무집행으로 인하여 타인에게 손해를 가한 경우, 이는 회사의 불법행위가 되어 회사는 대표이사와 연대하여 배상할 책임이 있다.

④ 공동대표이사

– 회사는 정관 또는 총사원의 동의로 수인의 사원이 공동으로 회사를 대표할 것을 정할 수 있다. 제삼자의 회사에 대한 의사표시는 공동대표의 권한있는 사원 1인에 대하여 이를 함으로써 그 효력이 생긴다.
다만, 회사의 제삼자에 대한 법률행위는 공동으로 하여야 하고 등기사항이다. 단독의 의사표시는 무권리자의 행위가 되어 회사에 효력이 없다.

4) 감사

감사는 회사의 업무 및 회계의 감사를 주된 임무로 하는 주식회사의 필요적 상설기관이다.

① 선임

– 감사는 주주총회의 보통결의로 선임한다. 의결권 없는 주식을 제외한 발행주식 총수의 100분의 3을 초과하는 수의 주식을 가진 주주는 그 초과하는 주식에 관하여는 의결권을 행사하지 못한다. 회사는 정관으로 이 비율을 낮출 수 있다.

② 겸직제한

– 감사는 당해 회사 및 자회사의 이사, 지배인 및 그 밖의 사용인을 겸하지 못한다.

※ 소규모 회사 특례

① 공증 면제
발기설립 시 정관 공증의무가 없다.

② 잔고증명서 대체
주금납입보관증명서를 잔고증명서로 대체 가능하다.

③ 이사 1인 가능

이사회를 두지 않고, 이사의 수를 1인 또는 2인으로 할 수 있다.

④ 감사 미선임

감사를 두지 않을 수 있다.

⑤ 소집기간 단축

주주총회 소집통지 기간을 2주 전에서 10일 전으로 단축 가능하다.

⑥ 소집절차 생략

주주전원 동의로 소집절차 없이 주주총회 개최 가능하다.

⑦ 서면결의 가능

주주총회 개최 없이 주주총회 결의를 서면결의 갈음이 가능하다.

Part

03

법인전환의 유형과 방법

1. 신규법인 설립
2. 포괄양수도 법인전환
3. 세 감면 포괄양수도 법인전환
4. 현물출자 법인전환
5. 중소기업통합 법인전환

Part 03 법인전환의 유형과 방법

1 신규법인 설립

(1) 개요

기존 개인사업자를 폐업하고 법인사업자를 새로이 설립하는 방법으로, 가장 간편한 방법이다. 하지만 어떠한 제약도 없이 폐업과 법인설립이 설립되는 만큼 양도소득세 이월과세, 부가가치세 면제, 취득세 면제 등 어떠한 조세혜택도 기대할 수 없다.

(2) 특징

설립이 단순하고 시간도 많이 걸리지 않는다. 하지만 기존 개인사업자에 대한 승계가 되지 않을 수 있기 때문에 기존 거래처, 금융기관과의 문제를 잘 풀어야 하는 문제가 있고, 기존 세액감면을 승계하지 못하는 문제가 있다.

(3) 요건 및 절차

기본적으로 세법에서 요건과 절차는 혜택이 필요한 경우에 발생한다. 신규법인 설립의 경우 조세감면 등의 혜택 없이 진행되는 방법이라 별도의 요건과 절차는 없다.

(4) 사후관리

세법에서 혜택이 있으면 요건이 있고, 요건이 있으면 사후관리를 받게 된다. 신규법인 설립은 사후관리를 받지 않는다.

(5) 관련 예규, 판례

신규법인을 설립하게 되면 기존 개인사업의 연속성을 인정받지 못하기 때문에 기존의 창업기업세액감면, 벤처기업인증의 승계 등에서도 문제가 되어 기존에 받고 있던 조세감면의 혜택을 승계하지 못할 수 있다.

1) 내국법인이 2개 사업부 중 1개 사업부를 분리하여 신규법인 설립 시 창업 중소기업 해당 여부(사전-2018-법령해석법인-0799)

내국법인이 2개의 제조 사업부 중 1개 사업부를 내국법인의 대표자가 신규 설립하는 신설법인에 양도하는 사업부문 양수도 계약을 체결하고 내국법인의 채무인수 및 인적·물적 시설의 승계가 이루어지는 경우 신설법인은 같은 법 제6조 제10항 제1호 나목에 따른 사업의 일부를 분리하여 해당기업의 임직원이 사업을 개시하는 경우의 창업 중소기업에 해당하지 않는다.

2) 신규법인 아스콘 제조업체로써 법인 등기일 이후 기계장치 계약금에 대한 매입세액 공제 여부(부가, 부가46015-153, 1994. 1. 22.)

부가가치세법 시행규칙 제9조에서 규정한 중간지급부계에 해당되므로, 그 거래 시기는 같은 법 시행령 제21조 제1항 제4호의 규정에 의하여 "대가의 각 부분을 받기로 한 때"인 것이다.

따라서 그 거래시기가 사업자등록신청일 이전인 계약금 중도금에 관련된 매입세액은 부가가치세법 제17조 제2항 제5호의 규정에 의하여 공제되지 아니하며, 그 거래시기가 사업자등록신청일 이후인 잔금(160,000,000원)에 관련된 매입세액은 적법하게 세금계산서를 교부받아 정부에 제출하는 경우에 공제되는 것이다.

(6) 영업의 양도

1) 개요

영업양도란 일정한 영업목적에 의하여 조직화된 업체, 즉 인적·물적 조직을 그 동일성을 유지하면서 일체로서 이전하는 것(판례의 일관된 입장)으로 영업의 일부 양도도 가능하지만 이 경우에도 해당 영업부문의 인적·물적 조직이 그 동일성을 유지하면서 일체로서 이전되어야 한다.

※ 대법원 판례(영업의 양도인지 여부의 판단방법)

「상법」 제41조 소정의 영업의 양도란 영업목적을 위하여 조직화된 유기적 일체로서의 기능재산의 동일성이 유지된 일괄이전을 의미하는 것이고 영업의 동일성 여부는 일반사회관념에 의하여 결정되어져야 할 사실인정의 문제이기는 하지만, 영업재산의 전부를 양도했어도 그 조직을 해체하여 양도했다면 영업의 양도는 되지 않는 반면에 그 일부를 유보한 채 영업시설을 양도했어도 그 양도한 부분만으로도 종래의 조직이 유지되어 있다고 사회관념상 인정되기만 하면 그것을 영업의 양도라 하지 않을 수 없는 것이다(대법원 1989. 12. 26. 선고, 88다카10128 판결).

※ 대법원 판례(영업의 양도의 판단기준)

[1] 「상법」 제42조 제1항의 영업이란 일정한 영업목적에 의하여 조직화된 유기적 일체로서의 기능적 재산을 말하고, 여기서 말하는 유기적 일체로서의 기능적 재산이란 영업을 구성하는 유형·무형의 재산과 경제적 가치를 갖는 사실관계가 서로 유기적으로 결합하여 수익의 원천으로 기능한다는 것과 이와 같이 유기적으로 결합한 수익의 원천으로서의 기능적 재산이 마치 하나의 재화와 같이 거래의 객체가 된다는 것을 뜻하는 것이므로, 영업양도가 있다고 볼 수 있는지의 여부는 양수인이 유기적으로 조직화된 수익의 원천으로서의 기능적 재산을 이전받아 양도인이 하던 것과 같은 영업적 활동을 계속하고 있다고 볼 수 있는지의 여부에 따라 판단되어야 한다.

[2] 「상법」상의 영업양도는 일정한 영업목적에 의하여 조직화된 유기적 일체로서의 기능적 재산인 영업재산을 그 동일성을 유지시키면서 일체로서 이전하는 채권계약이므로 영업양도가 인정되기 위해서는 영업양도계약이 있었음이 전제가 되어야 하는데, 영업재산의 이전 경위에 있어서 사실상, 경제적으로 볼 때 결과적으로 영업양도가 있는 것과 같은 상태가 된 것으로 볼 수는 있다고 하더라도 묵시적 영업양도계약이 있고 그 계약에 따라 유기적으로 조직화된 수익의 원천으로서의 기능적 재산을 그 동일성을 유지시키면서 일체로서 양도받았다고 볼 수 없어 「상법」상 영업양도를 인정할 수 없다고 한 사례(대법원 2005. 7. 22. 선고, 2005다602 판결)

2) 영업양도와 합병의 비교

영업양도와 비슷한 조직변경 형태에는 합병이 있다. 영업양도와 합병은 다음과 같은 차이점이 있다.

구 분	영업양도	합 병
당사자	회사, 개인상인, 비상인(양수인) 간	회사와 회사 간
방식	특정된 방식이 없음.	법정의 절차에 따라야 함
재산이전 방법	특정승계(재산의 개별적 이전)	포괄승계
고용이전 여부	포괄승계	포괄승계

3) 영업양도 절차

① 총사원 과반수의 결의

청산인이 회사의 영업의 전부 또는 일부를 양도함에는 총사원 과반수의 결의가 필요하다.

또한 영업을 양수하여 정관변경이 필요한 경우에는 총사원의 동의가 있어야 한다.

② 영업양도 방식(불요식 계약)

영업양도의 계약방식에 대해서는 「상법」상 아무런 규정이 없기 때문에, 당사자 간에 자유롭게 할 수 있다. 영업양도 계약은 일반적으로 양도 및 양수받는 회사 간의 영업양도계약서 작성에 따른 서면합의로 계약이 이루어진다.

4) 영업양도의 효과

① 고용관계의 이전(포괄승계)

영업의 양도는 일정한 영업목적에 의하여 조직화된 업체, 즉 인적·물적 조직을 그 동일성을 유지하면서 일체로서 이전하는 것이므로, 영업이 포괄적으로 양도되면 양도인과 근로자 간에 체결된 고용계약도 양수인에게 승계된다(대법원 1991. 8. 9. 선고 91다15225 판결).

② 영업재산의 이전

영업양도는 채권계약이므로 양도인이 재산이전의무를 이행함에 있어서는 상속이나 회사 합병의 경우와 같이 포괄적 승계가 인정되지 않고 특정 승계의 방법에 의하여 재산의 종류에 따라 개별적으로 이전행위를 해야 한다(대법원 1991. 10. 8. 선고 91다22018 판결).

③ 양도인의 경업피지의무(競業避止義務)

영업을 양도한 경우에 다른 약정이 없으면 양도인은 10년간 동일한 특별시·광역시·시·군과 인접 특별시·광역시·시·군에서 동종영업을 못한다.

양도인이 동종영업을 하지 않을 것을 약정한 때에는 동일한 특별시·광역시·시·군과 인접 특별시·광역시·시·군에 한하여 20년을 초과하지 않은 범위 내에서 그 효력이 있다(「상법」 제41조 제2항).

④ 상호를 속용하는 양수인의 책임(상호속용)

영업양수인이 양도인의 상호를 계속 사용하는 경우에는 양도인의 영업으로 인한 제3자의 채권에 대하여 양수인도 변제할 책임이 있다.

※ "영업으로 인하여 발생한 채무"란 영업상의 활동에 관하여 발생한 모든 채무를 말하는 것이므로 불법행위로 인한 손해배상채무도 이에 포함된다(대법원 1989. 3. 28. 선고 88다카121000 판결).

이 경우 양수인이 영업양도를 받은 후 지체없이 양도인의 채무에 대한 책임이 없음을 등기한 때에는 적용하지 않는다. 양도인과 양수인이 지체없이 제3자에 대하여 그 뜻을 통지한 경우에 그 통지를 받은 제3자에 대하여도 같다.

⑤ 양수인에 대한 변제

영업양수인이 양도인의 상호를 계속 사용하는 경우 양도인의 영업으로 인한 채권에 대하여 채무자가 선의이며 중대한 과실 없이 양수인에게 변제한 때에는 그 효력이 있다.

⑥ 채무인수를 광고한 양수인의 책임

영업양수인이 양도인의 상호를 계속 사용하지 않는 경우에 양도인의 영업으로 인한 채무를 인수할 것을 광고한 때에는 양수인도 변제할 책임이 있다.

※ 양도인의 상호를 계속 사용하지 않는 영업양수인에 대해서도 양도인의 영업으로 인한 채무를 인수할 것을 광고한 때에는 그 변제책임을 인정하는 「상법」 제44조의 법리는 영업양수인이 양도인의 채무를 받아들이는 취지를 광고에 의하여 표시한 경우에 한하지 않고, 양도인의 채권자에 대하여 개별적으로 통지를 하는 방식으로 그 취지를 표시한 경우에도 적용되

어, 그 채권자와의 관계에서는 위 채무변제의 책임이 발생한다(대법원 2008. 4. 11. 선고 2007다89722 판결).

⑦ 영업양도인의 책임 존속기간

영업양수인이 위에 따라 변제의 책임이 있는 경우에는 양도인의 제3자에 대한 채무는 영업양도 또는 광고 후 2년이 경과하면 소멸한다.

2 포괄양수도 법인전환

(1) 개요

개인사업자 장부에 부동산, 등기등록 기계장치 등은 없지만 재고자산이 있는 경우 포괄양수도 방법으로 법인전환을 하여야 한다. 세법상으로는 사업장의 포괄적인 양수도가 된다는 개념이고, 이를 사업의 양도라고 한다.

(2) 특징

사업의 양도 요건에 대해서는 세법에서 명확히 규정을 하고 있다. 왜냐하면 해당 규정에 해당되지 않는다면 세금계산서를 발행해야 하는 대상이 되기 때문이다.

(3) 사업양도의 요건

사업장별로 그 사업에 관한 모든 권리와 의무를 포괄적으로 승계시키는 것으로, 부가가치세법 규정에 의거하여 사업의 양도에 대한 규정을 살펴보면 다음과 같다.

1) 부가가치세법 제10조(재화 공급의 특례)

⑨ 다음 각 호의 어느 하나에 해당하는 것은 재화의 공급으로 보지 아니한다.

2. 사업을 양도하는 것으로서 대통령령으로 정하는 것. 다만, 제52조 제4항에 따라 그 사업을 양수받는 자가 대가를 지급하는 때에 그 대가를 받은 자로부터 부가가치세를 징수하여 납부한 경우는 제외한다.

주석

사업을 양도하는 것으로 보는 경우에는 재화의 공급으로 보지 않아서 부가가치세 과세대상이 아니므로 세금계산서 발행의무가 없다. 하지만 양수자가 사업 양수대가를 지급하고 납부한 경우에는 재화의 공급으로 본다.

2) 부가가치세법 시행령 제23조(재화의 공급으로 보지 아니하는 사업 양도)

법 제10조 제9항 제2호 본문에서 "대통령령으로 정하는 것"이란 사업장별(「상법」에 따라 분할하거나 분할·합병하는 경우에는 같은 사업장 안에서 사업부문별로 구분하는 경우를 포함한다)로 그 사업에 관한 모든 권리와 의무를 포괄적으로 승계시키는 것(「법인세법」 제46조 제2항 또는 제47조 제1항의 요건을 갖춘 분할의 경우 및 양수자가 승계받은 사업 외에 새로운 사업의 종류를 추가하거나 사업의 종류를 변경한 경우를 포함한다)을 말한다. 이 경우 그 사업에 관한 권리와 의무 중 다음 각 호의 것을 포함하지 아니하고 승계시킨 경우에도 그 사업을 포괄적으로 승계시킨 것으로 본다.

1. 미수금에 관한 것
2. 미지급금에 관한 것
3. 해당 사업과 직접 관련이 없는 토지·건물 등에 관한 것으로서 기획재정부령으로 정하는 것

주석

재화의 공급으로 보지 아니하는 사업의 양도에는 사업장별로 분할하거나 사업부문별로 그 사업 관련 자산, 부채를 포괄승계시키거나 새로운 사업의 종류를 추가하거나 사업의 종류를 변경한 경우를 포함한다. 다만, 사업과 직접적으로 관련이 없을 수 있는 미수금, 미지급금, 업무무관자산을 포함시키지 않더라도 재화의 공급으로 보지 아니하는 사업의 양도로 본다.

3) 부가가치세법 시행규칙 제16조(사업과 직접 관련이 없는 토지·건물 등의 범위)

영 제23조 제3호에서 "기획재정부령으로 정하는 것"이란 다음 각 호의 구분에 따른 자산을 말한다.

1. 사업양도자가 법인인 경우: 「법인세법 시행령」 제49조 제1항에 따른 자산
2. 사업양도자가 법인이 아닌 사업자인 경우: 제1호의 자산에 준하는 자산

4) 법인세법 시행령 제49조(업무와 관련이 없는 자산의 범위 등)

① 법 제27조 제1호에서 "대통령령으로 정하는 자산"이란 다음 각 호의 자산을 말한다. 〈개정 1999. 12. 31., 2000. 12. 29., 2005. 2. 19., 2008. 2. 29., 2011. 6. 3.〉

1. 다음 각 목의 1에 해당하는 부동산. 다만, 법령에 의하여 사용이 금지되거나 제한된 부동산, 「자산유동화에 관한 법률」에 의한 유동화전문회사가 동법 제3조의 규정에 의하여 등록한 자산유동화계획에 따라 양도하는 부동산 등 기획재정부령이 정하는 부득이한 사유가 있는 부동산을 제외한다.

가. 법인의 업무에 직접 사용하지 아니하는 부동산. 다만, 기획재정부령이 정하는 기간(이하 이 조에서 "유예기간"이라 한다)이 경과하기 전까지의 기간 중에 있는 부동산을 제외한다.

나. 유예기간 중에 당해 법인의 업무에 직접 사용하지 아니하고 양도하는 부동산. 다만, 기획재정부령이 정하는 부동산매매업을 주업으로 영위하는 법인의 경우를 제외한다.

(4) 관련 예규, 판례

1) 법인으로 전환하는 경우 창업벤처중소기업 세액감면 적용 여부

※ 조특법, 법인세과-276, 2014. 6. 20.

[요 지]

개인사업자로 창업한 후 중소기업 간의 통합 및 법인전환에 대한 양도소득세의 이월과세 요건을 충족하는 법인전환의 경우 개인사업 창업일로부터 3년 이내에 벤처기업 확인을 받는 경우 창업벤처중소기업 세액감면 적용 가능함.

[회 신]

「조세특례제한법」 제6조 제3항에 따른 업종을 창업한 개인사업자가 중소기업인 법인으로 전환하고 개인사업의 창업일로부터 3년 이내에 벤처기업으로 확인받는 경우 동법 제6조 제2항에 따른 창업벤처중소기업 세액감면을 적용받을 수 있는지 여부는 기존 회신사례(법인세과-2498, 2008. 9. 17.)를 참고하시기 바랍니다.

○ 법인세과-2498, 2008. 9. 17.

개인사업자가 「조세특례제한법」 제6조 제3항에 해당하는 업종을 창업한 후 동법 제31조, 제32조 및 동법 시행령 제29조 제2항 및 제4항에 규정하는 법인전환 요건에 따라 중소기업 법인으로 전환하고 개인사업의 창업일로부터 3년 이내에 벤처기업을 확인받는 경우 동법 제6조 제2항의 창업벤처중소기업 세액감면을 적용받을 수 있는 것이며, 이 경우 "창업일로부터 3년 이내"의 요건은 2008. 1. 1. 이후 최초로 벤처기업으로 확인받는 분부터 적용되는 것임.

[관련법령]

조세특례제한법 제6조【창업중소기업 등에 대한 세액감면】

② 「벤처기업육성에 관한 특별조치법」 제2조 제1항에 따른 벤처기업(이하 "벤처기업"이라 한다) 중 대통령령으로 정하는 기업으로서 창업 후 3년 이내에 같은 법 제25조에 따라 2021년 12월 31일까지 벤처기업으로 확인받은 기업(이하 "창업벤처중소기업"이라 한다)의 경우에는 그 확인받은 날 이후 최초로 소득이 발생한 과세연도(벤처기업으로 확인받은 날부터 5년이 되는 날이 속하는 과세연도까지 해당 사업에서 소득이 발생하지 아니하는 경우에는 5년이 되는 날이 속하는 과세연도)와 그 다음 과세연도의 개시일부터 4년 이내에 끝나는 과세연도까지 해당 사업에서 발생한 소득에 대한 소득세 또는 법인세의 100분의 50에 상당하는 세액을 감면한다. 다만, 제1항을 적용받는 경우는 제외하며, 감면기간 중 다음 각 호의 사유가 있는 경우에는 다음 각 호의 구분에 따른 날이 속하는 과세연도부터 감면을 적용하지 아니한다. 〈개정 2013. 1. 1., 2015. 12. 15., 2016. 12. 20., 2018. 5. 29.〉

1. 벤처기업의 확인이 취소된 경우: 취소일
2. 「벤처기업육성에 관한 특별조치법」 제25조 제2항에 따른 벤처기업확인서의 유효기간이 만료된 경우(해당 과세연도 종료일 현재 벤처기업으로 재확인받은 경우는 제외한다): 유효기간 만료일

⑩ 제1항부터 제9항까지의 규정을 적용할 때 다음 각 호의 어느 하나에 해당하는 경우는 창업으로 보지 아니한다. 〈개정 2017. 12. 19., 2018. 5. 29.〉

1. 합병·분할·현물출자 또는 사업의 양수를 통하여 종전의 사업을 승계하거나 종전의 사업에 사용되던 자산을 인수 또는 매입하여 같은 종류의 사업을 하는 경우. 다만, 다음 각 목의 어느 하나에 해당하는 경우는 제외한다.
   가. 종전의 사업에 사용되던 자산을 인수하거나 매입하여 같은 종류의 사업을 하는 경우 그 자산가액의 합계가 사업 개시 당시 토지·건물 및 기계장치 등 대통령령으로 정하는 사업용자산의 총가액에서 차지하는 비율이 100분의 50 미만으로서 대통령령으로 정하는 비율 이하인 경우
   나. 사업의 일부를 분리하여 해당 기업의 임직원이 사업을 개시하는 경우로서 대통령령으로 정하는 요건에 해당하는 경우

2. 거주자가 하던 사업을 법인으로 전환하여 새로운 법인을 설립하는 경우
3. 폐업 후 사업을 다시 개시하여 폐업 전의 사업과 같은 종류의 사업을 하는 경우
4. 사업을 확장하거나 다른 업종을 추가하는 경우 등 새로운 사업을 최초로 개시하는 것으로 보기 곤란한 경우

2) 기말재고 과소계상에 대한 부당 과소신고 가산세 적용은 타당함

※ 법인, 조심2013중1200, 2013. 6. 4., 기각

[요 지]

청구법인의 업종 특성상 쟁점재고자산의 파악이 곤란하다고 하나 그 금액이 실제 기말재고 금액의 47%에 이르러 단순 착오계상이라고 보기 어렵고, 청구법인은 누락 재고자산이 불량품이라고 주장하면서도 객관적 근거는 제시하지 못하고 있으므로 쟁점재고누락에 대해 부당 과소신고 가산세를 적용한 것은 타당함.

[판 단]

청구법인은 업종 특성상 부득이 다량으로 발생하는 불량품으로 인해 재고자산의 집계를 함에 있어 단순한 착오가 있어 쟁점재고자산이 과소계상되었다고 주장하나,

쟁점재고자산이 처분청에서 실지 재고조사를 실시하여 동 금액과 장부상 재고금액과의 차이를 조정한 것이 아니라, 매입대비 매출현황 등을 분석한 결과 재고자산누락 혐의가 있어 청구법인에게 이에 대하여 소명을 요구하여 청구법인이 월별 불량품 현황 등을 파악한 후 처분청에 이를 확인하여 준 것으로 보이므로 이는 당초부터 청구법인이 쟁점재고자산을 구체적으로 파악하고 있었다고 볼 수 있는 점, 청구법인의 업종 특성상 쟁점재고자산의 파악이 곤란하다고 하나 그 금액이 실제 기말재고금액의 47%에 이르러 단순한 착오라고 보기 어려운 점, 청구법인은 쟁점재고자산이 불량품이라고 주장하면서 불량품 현황 및 월별 불량 발생 보고서를 제출하였는데 이를 입증할 객관적인 증빙은 제시하지 아니하여 쟁점재고자산이 불량품인지 여부가 불분명하므로 쟁점재고자산의 누락으로 인해 누락 이후 사업연도에 쟁점재고자산이 매출로 계상되었다고 보기도 어려운 점 등으로 볼 때,

청구법인이 쟁점재고자산을 과소계상한 것은 「국세기본법 시행령」 제27조에 의한 장부의 거짓기록에 의해 과세표준을 과소 신고한 경우라고 보이므로 처분청에서 쟁점재고자산으로 인하여 증가된 소득금액에 대하여 부당 과소신고 가산세를 적용하고 중소기업특별세액감면의 적용을 배제한 이 건 과세처분은 잘못이 없다고 판단된다.

3) 건물을 제외한 경우 사업의 양도가 아님(부가가치세과-427, 2014. 5. 12.)

재화의 공급으로 보지 아니하는 사업의 양도란 사업장별로 그 사업에 관한 모든 권리와 의무를 포괄적으로 승계시키는 것을 말하는 것으로, 공장건물 및 그 토지를 제외하고 법인전환하는 경우에는 사업의 양도에 해당하지 아니함.

4) 상가 2개를 1개의 사업자로 운영 중 1개의 상가 양도 시 사업의 양도임
(법규부가2013-15, 2013. 1. 31.; 부가가치세과-667, 2013. 7. 24.)

집합건물 내에 상가를 취득한 후, 그 상가를 두 개의 상가로 구분 등기하고 하나의 사업자등록번호로 사업자등록을 한 후 각각 다른 사업자에게 임대하다가 그중 하나의 상가를 다른 임대사업자에게 양도하면서 기존의 임대차계약 및 관련된 권리와 의무를 양수인에게 포괄적으로 승계시키는 경우 (구)「부가가치세법」 제6조 제6항 제2호에 따른 사업의 양도에 해당하는 것임.

5) 1개의 사업자로 임대업, 도매업 영위 중 임대업 상가 양도 시 사업의 양도임
(부가가치세과-1150, 2010. 9. 1.)

사업자가 구분 등기된 두 개의 상가를 취득하여 납세편의상 하나의 사업자등록번호를 발급받아 하나의 상가에서는 부동산임대업을 영위하고, 나머지 상가에서는 도매업을 영위하던 중 사업을 양도함에 있어 부동산임대업을 영위하던 상가에 관한 모든 권리와 의무를 포괄적으로 승계시키나, 도매업을 영위하던 상가에 관한 모든 권리와 의무는 승계시키지 아니하는 경우 부동산임대업을 영위하던 상가양도는 (구)「부가가치세법」 제6조 제6항 제2호에 따른 사업의 양도에 해당하는 것임.

주석

1개의 사업자등록증으로 2개의 별개의 사업을 하는 경우 사업부문을 분리하여 양도하는 경우 사업의 양도를 인정받을 수 있다. 사업장별로 그 사업에 관한 모든 권리와 의무를 포괄적으로 승계시키는 것을 말하는 것이다. 부동산 임대업의 경우 그 물건지 자체만으로 사업장으로 인정받을 수 있으므로 상기 예규와 같이 상가만을 승계시키는 경우에도 사업의 양도를 인정받게 된다.

6) 사업장별로 포괄적 승계해야 사업의 양도임(부가22601 - 1629, 1991. 12. 10.)

(구)「부가가치세법」 제6조 제6항 및 같은 법 시행령 제17조 제2항의 규정에 의하면 사업의 양도는 사업장별로 그 사업에 관한 모든 권리와 의무를 포괄적으로 승계시키는 것을 말하는 것이므로, 한 사업장 내에서 여러 사업을 영위하는 법인이 일부의 사업만을 승계하는 경우에는 같은 법 제6조 제6항 및 같은 법 시행령 제17조 제2항에 규정하는 사업의 양도에 해당되지 아니하는 것임.

7) 사업자 부지를 제외한 건물만 양도 시 사업의 양도가 아님

(조심2011전2153, 2011. 10. 13.)

「부가가치세법」 제6조 제6항에서 규정하는 사업의 양도는 그 사업용 자산을 비롯한 인적·물적 설비 및 당해 사업에 관련된 모든 권리와 의무를 포괄적으로 승계시켜 경영주체만 변경되는 것을 말하는 것인 바, 이 건의 경우 사실상 사업장 부지를 제외한 쟁점 건물만을 양도한 경우에 해당되어 사업의 포괄 양도·양수에 해당하지 않으므로 이는 사업의 중요한 요소 중 일부가 승계되지 아니한 것으로 사업의 양도에 해당하지 아니하는 것으로 보아야 할 것임(국심 2005구 1608, 2005. 12. 7, 같은 뜻).

3 세 감면 포괄양수도 법인전환

(1) 개요

개인사업을 포괄양수도 하는 경우 부가가치세 면제, 양도소득세 이월 등 각종 조세혜택을 받을 수 있다. 여기서 말하는 사업의 포괄양수도란, 사업자가 그 사업에 대한 모든 권리와 의무를 다른 사업자에게 승계시키는 것을 의미한다. 사업의 포괄양수도 시 양도자는 부가가치세 확정 신고 시에 사업양도신고서를 제출해야 한다.

사업 양수자는 새로운 사업자등록을 함에 있어 반드시 일반과세자로 해야 하고, 포괄양수도계약서 사본도 함께 제출해야 한다. 이러한 경우 부가가치세법에서는 재화의 공급으로 보지 않기 때문에 양도되는 사업장 내역에 대해서 부가가치세를 과세하지 않는다. 사업 포괄양수도에 해당하면 양도인은 부가가치세만큼 양도가를 낮출 수 있어 거래를 원활히 할 수 있고, 양수자는 사업인수자금 부담을 부가가치세만큼 줄일 수 있다.

일반사업양수도가 아닌 포괄적인 사업양수도를 통해서 양도소득세 이월과세, 부가가치세 면제, 취득세 면제 등의 혜택을 누릴 수 있다.

(2) 세 감면 포괄양수도의 장점과 단점

1) 세 감면 포괄양수도 장점

① 절차가 비교적 단순

현물출자 법인전환에 비해서 비교적 절차가 단순하고, 효과는 국민주택채권매입을 한다는 혜택 이외에는 조세감면 혜택이 동일하다.

② 사업자등록증 발급 편의성

현물출자 법인전환은 법인등기가 나오기 전에 사업자등록을 내야 한다는 불완전한 사업형태의 유지기간이 필요하지만, 세 감면 포괄양수도 방법의 경우에는 법인등기를 먼저 내고 진행이 가능하다는 장점이 있다.

③ 세액감면의 승계

창업중소기업 및 창업벤처중소기업 규정에 따라 세액감면을 받는 내국인이 감면

기간이 지나기 전에 법인전환을 하는 경우 남은 감면기간에 감면을 승계받을 수 있다.

수도권과밀억제권역 밖으로 이전하는 중소기업, 농업회사법인이 감면기간이 지나기 전에 법인전환을 하는 경우 남은 감면기간에 대하여 감면 승계받을 수 있다.

2) 세 감면 포괄양수도 단점

① 유동성이 확보되어야 함

잔고증명서를 제출할 수 있는 경우에 가능하므로 회사의 유동성이 확보되어야만 실행이 가능하다는 단점이 있다.

② 금융부채의 승계

부동산이 있는 경우 진행되기 때문에 부동산에 대한 평가와 금융기관과 협의하여 금융부채의 승계에 대해서 승인을 받아야 한다.

(3) 조세감면 요건

1) 법인전환 당사자는 거주자

법인으로 전환하는 개인기업주는 해당 사업을 영위하는 국내 주소를 두거나 1년 이상 거소를 둔 개인이어야 한다. 비거주자는 조세혜택을 받을 수 없다. 단, 소비성 서비스업은 제외한다.

2006년 1월 1일 이후로 개인사업자가 법인설립일로부터 1년 이상 당해 사업을 영위해야 한다는 요건은 폐지되었다.

2) 사업용 고정자산을 현물출자 할 것

사업용 고정자산이란, 사업에 직접 사용하는 유형·무형의 자산을 말한다.

3) 개인사업자가 발기인이 될 것

법 제32조 제1항에서 "대통령령으로 정하는 사업 양도·양수의 방법"이란, 해당 사업을 영위하던 자가 발기인이 되어 제5항에 따른 금액 이상을 출자하여 법인을 설립해야 한다.

4) 3개월 이내 포괄양도

법인 설립일부터 3개월 이내에 해당 법인에게 사업에 관한 모든 권리와 의무를 포괄적으로 양도하는 것을 말한다.

5) 소비성 서비스업이 아닐 것

"대통령령으로 정하는 소비성 서비스업"이란 다음 각 호의 어느 하나에 해당하는 사업(이하 "소비성 서비스업"이라 한다)을 말한다.

1. 호텔업 및 여관업(「관광진흥법」에 따른 관광숙박업은 제외한다)
2. 주점업(일반유흥주점업, 무도유흥주점업 및 「식품위생법 시행령」 제21조에 따른 단란주점 영업만 해당하되, 「관광진흥법」에 따른 외국인전용유흥음식점업 및 관광유흥음식점업은 제외한다)
3. 그 밖에 오락·유흥 등을 목적으로 하는 사업으로서 기획재정부령으로 정하는 사업

6) 순자산가액 이상을 출자

조세감면 혜택을 받기 위해서는 개인사업자가 개인사업장의 순자산가액 이상을 출자하여야 한다. 주식 또는 지분의 가액이 사업장의 순자산가액(통합일 현재의 시가로 평가한 자산의 합계액에서 충당금을 포함한 부채의 합계액을 공제한 금액을 말한다. 이하 같다) 이상이어야 한다.

7) 이월과세 적용신청

양도소득세의 이월과세를 적용받고자 하는 자는 현물출자 또는 사업 양수도를 한 날이 속하는 과세연도의 과세표준 신고(예정신고를 포함한다) 시 새로이 설립되는 법인과 함께 기획재정부령이 정하는 이월과세적용신청서를 납세지 관할 세무서장에게 제출하여야 한다.

(4) 조세혜택

1) 양도소득세 이월과세

거주자가 사업용 고정자산을 현물출자하거나 대통령령으로 정하는 사업 양도·양수의 방법에 따라 법인(대통령령으로 정하는 소비성 서비스업을 경영하는 법인은 제외한다)

으로 전환하는 경우 그 사업용 고정자산에 대해서는 이월과세를 적용받을 수 있다.

여기서 말하는 "이월과세"란 개인이 해당 사업에 사용되는 사업용 고정자산 등을 현물출자 등을 통하여 법인에 양도하는 경우 이를 양도하는 개인에 대해서는 「소득세법」 제94조에 따른 양도소득에 대한 소득세(이하 "양도소득세"라 한다)를 과세하지 아니하고, 그 대신 이를 양수한 법인이 그 사업용 고정자산 등을 양도하는 경우 개인이 종전 사업용 고정자산 등을 그 법인에 양도한 날이 속하는 과세기간에 다른 양도 자산이 없다고 보아 계산한 같은 법 제104조에 따른 양도소득 산출세액 상당액을 법인세로 납부하는 것을 말한다.

즉, 개인이 납부해야 할 양도소득세를 과세하지 않고 법인이 해당 사업용 고정자산을 양도하는 경우 법인세로 납부할 수 있게 지원해 주는 것이다.

부동산을 현물출자하게 되면 과거의 낮은 취득가액으로 인하여 최고구간의 소득세율이 적용될 수 있는데, 이러한 양도소득세를 이월과세해 주기 때문에 굉장히 큰 조세혜택이다.

2) 부가가치세 면제

부가가치세법 시행령 제23조 재화의 공급으로 보지 아니하는 사업 양도에 대해서 부가가치세를 면제해 주고 있다. 사업장별로 그 사업에 관한 모든 권리와 의무를 포괄적으로 승계시키는 것을 말한다.

3) 취득세 면제

「조세특례제한법」 제32조에 따른 현물출자 또는 사업 양도·양수에 따라 2021년 12월 31일까지 취득하는 사업용 고정자산에 대해서는 취득세의 100분의 75를 경감한다. 다만, 취득일부터 5년 이내에 대통령령으로 정하는 정당한 사유 없이 해당 사업을 폐업하거나 해당 재산을 처분(임대를 포함한다) 또는 주식을 처분하는 경우에는 경감받은 취득세를 추징한다.

2020년 8월 12일 부동산임대업에 대한 조세특례제한법 제32조에 따른 취득세 감면은 지방세특례제한법 개정으로 삭제되었다.

※ 지방세특례제한법 제57조의2(기업합병·분할 등에 대한 감면)

> ④「조세특례제한법」 제32조에 따른 현물출자 또는 사업 양도·양수에 따라 2021년 12월 31일까지 취득하는 사업용 고정자산에 대해서는 취득세의 100분의 75를 경감(「통계법」 제22조에 따라 통계청장이 고시하는 한국표준산업분류에 따른 부동산 임대 및 공급업에 대해서는 제외한다)한다. 다만, 취득일부터 5년 이내에 대통령령으로 정하는 정당한 사유 없이 해당 사업을 폐업하거나 해당 재산을 처분(임대를 포함한다) 또는 주식을 처분하는 경우에는 경감받은 취득세를 추징한다. 〈개정 2015. 12. 29., 2018. 12. 24., 2020. 8. 12.〉

4) 조세특례제한법상의 조세감면 및 미공제세액 승계

현물출자 법인전환을 하게 되면 개인사업자가 받을 수 있었던 조세특례제한법상의 각종 조세감면 및 세액공제승계 혜택을 받을 수 있다. 미공제세액을 승계한 자는 승계받은 자산에 대한 미공제세액상당액을 당해 개인사업자의 이월공제잔여기간 내에 종료하는 각 과세연도에 이월하여 공제받을 수 있다.

(5) 사후관리

법인의 설립등기일부터 5년 이내에 다음 사유가 발생하는 경우에는 사유발생일이 속하는 달의 말일부터 2개월 이내에 제1항에 따른 이월과세액(해당 법인이 이미 납부한 세액을 제외한 금액을 말한다)을 양도소득세로 납부하여야 한다. 이 경우 사업 폐지의 판단기준 등에 관하여 필요한 사항은 대통령령으로 정한다.

1) 설립된 법인이 거주자로부터 승계받은 사업을 폐지하는 경우

※ 사업의 폐지 아닌 경우

① 전환법인이 파산하여 승계받은 자산을 처분한 경우

② 전환법인이 「법인세법」 제44조 제2항에 따른 합병, 같은 법 제46조 제2항에 따른 분할, 같은 법 제47조 제1항에 따른 물적 분할, 같은 법 제47조의2 제1항에 따른 현물출자의 방법으로 자산을 처분한 경우

③ 전환법인이 「채무자 회생 및 파산에 관한 법률」에 따른 회생절차에 따라 법원의 허가를 받아 승계받은 자산을 처분한 경우

2) 거주자가 법인전환으로 취득한 주식 또는 출자지분의 100분의 50 이상을 처분하는 경우

주식의 처분은 주식 또는 출자지분의 유상이전, 무상이전, 유상감자 및 무상 감자(주주 또는 출자자의 소유주식 또는 출자지분 비율에 따라 균등하게 소각하는 경우는 제외한다)를 포함한다.

※ 주식의 처분이 아닌 경우

① 거주자가 사망하거나 파산하여 주식 또는 출자지분을 처분하는 경우

② 해당 거주자가 합병이나 분할의 방법으로 주식 또는 출자지분을 처분하는 경우

③ 해당 거주자가 주식의 포괄적 교환·이전 주식의 현물출자의 방법으로 과세특례를 적용받으면서 주식 또는 출자지분을 처분하는 경우

④ 해당 거주자가 「채무자 회생 및 파산에 관한 법률」에 따른 회생절차에 따라 법원의 허가를 받아 주식 또는 출자지분을 처분하는 경우

⑤ 해당 거주자가 법령상 의무를 이행하기 위하여 주식 또는 출자지분을 처분하는 경우

⑥ 해당 거주자가 가업의 승계를 목적으로 해당 가업의 주식 또는 출자지분을 증여하는 경우로서 수증자가 증여세 과세특례를 적용받은 경우

- 수증자를 해당 거주자로 보되, 5년의 기간을 계산할 때 증여자가 법인전환으로 취득한 주식 또는 출자지분을 보유한 기간을 포함하여 통산한다.

(6) 예규 및 판례

1) 신설법인의 주주명부상 청구인 지분의 자본금이 법인으로 전환하는 사업장의 순자산가액원에 미달한다 하여 양도소득세 이월과세 적용의 요건을 충족하는지 여부

(양도, 국심2005중2993, 2005. 11. 1., 기각)

[청구인 주장]

처분청은 신설법인의 자본금 300,000,000원에 대한 청구인의 지분은 147,000,000원으로서 법인전환으로 소멸하는 사업장의 순자산가액 259,271,478원에 미달한다 하여 쟁점부동산에 대한 양도소득세의 이월과세 적용을 배제하였으나, 청구인은 법인전환하면서 상법상 주

식회사 설립요건을 구비하기 위하여 형식상 주주명부에 청구인의 처인 이금자를 이사로, 청구인의 직원인 권○○을 감사로 명의를 빌려 등재하였을 뿐, 사실상 청구인 단독으로 신설법인에 대한 주금납입 및 경영을 하고 있으므로 신설법인의 자본금 전체(300,000,000원)가 청구인 소유이다. 따라서 신설법인에 대한 청구인 지분의 자본금이 전환 전 사업장의 순자산가액보다 크므로 이 건 법인전환에 대한 양도소득세의 이월과세를 배제하여 과세한 처분은 취소되어야 한다.

[처분청 의견]

신설법인의 청구인 주식지분은 147,000,000원으로 전환 전 청구인의 사업장의 순자산가액 259,271,478원에 미달하여 조세특례제한법 제32조 제2항 및 같은 법 시행령 제29조 제4호 규정의 자본금 요건을 충족하지 못하므로 양도소득세 이월과세 적용을 배제한 처분은 정당하다.

[판단]

청구인은 이에 대해 신설법인의 설립과정에서 상법상 주식회사 설립요건을 구비하기 위하여 청구인의 처 이○○와 청구인의 직원 권○○의 명의를 빌려 형식상 등재하였을 뿐 사실상 청구인 단독으로 주금납입을 하고 신설법인을 경영하고 있으므로 신설법인에 대한 청구인의 자본금은 300,000,000원이고 따라서 전환 전 사업장의 순자산가액 이상이므로 양도소득세 이월과세 적용을 배제한 이 건 처분은 부당하다고 주장하여 이를 살펴본다.

청구인이 증빙자료로 제시하는 이○○ 및 권○○의 사실확인서는 사인 간에 임의로 작성이 가능한 것이어서 객관성이 부족하고, 동 확인서 외에 신설법인에 대한 이○○와 권○○ 지분의 실지 소유자를 청구인으로 볼 수 있는 증빙자료의 제시가 없다. 따라서 신설법인의 주주명부상 청구인 지분의 자본금 147,000,000원이 법인으로 전환하는 사업장의 순자산가액 299,209,901원에 미달한다 하여 양도소득세 이월과세 적용의 요건을 충족하지 못한 것으로 본 이 건 처분은 정당하다고 판단된다.

2) 사업의 포괄양수도 시 양수도 대상에서 제외된 매출채권의 대손세액공제 여부

(부가, 심사부가2000-0143, 2000. 7. 28., 기각, 완료)

[요 지]

사업의 포괄양도·양수 당시 양도·양수대상에서 제외된 매출채권에 대하여는 사업을 폐업한 이후에 대손세액공제 사유가 확정된 경우에 해당되어 대손세액공제를 받을 수 없는 것임.

[청구주장]

청구법인은 당초 1998. 2기 부가가치세 확정신고 시 사업양수도 전 개인사업자 당시 거래하였던 청구 외 ○○건설(주)로부터 물품대금으로 받은 어음 371,955,447원이 부도처리되어 그에 대한 대손세액공제를 신청하였으나, 어음 원본을 부도법인에게 돌려주어 어음 원본이 없다는 사유로 처분청에 의해 대손세액공제가 배제되었는 바, 청구법인이 어음 원본을 돌려준 사유가 부도법인의 부도액수를 줄여 부도법인의 회생을 돕기 위함이었고, 그에 대한 아무런 대가를 받지 아니하였음이 첨부된 확인서에 의해 나타나며, 청구법인은 부도법인을 상대로 물품대금 변제 소송을 제기하여 승소판결을 받았으나 실제로 아무런 변제를 받지 못하여 동산압류 불능조서를 받아 1999. 2기 부가가치세 확정신고에 대한 경정청구서에 의거 대손세액공제를 청구하였음에도 처분청이 동 대손세액공제를 배제한 처분은 부당하다.

[처분청 의견]

사업의 포괄양도·양수 당시 양도·양수대상에서 제외된 매출채권에 대하여는 사업을 폐업한 이후에 대손세액공제 사유가 확정된 경우에 해당되어 대손세액공제를 받을 수 없는 것으로, 청구법인이 법인설립신고 시 제출한 개시대차대조표 및 1997~1998년도 재무제표에 의하면 청구법인은 위 부도처리된 채권을 양수한 사실이 없는 것으로 확인되므로, 처분청이 동 부도채권에 대한 대손세액공제를 배제하여 부가가치세를 과세한 당초 처분은 정당하다.

[판단]

개인사업자가 법인을 설립하여 개인사업에 관한 모든 권리와 의무를 당해 신설법인에 포괄적으로 양도한 경우 사입양도 전에 과세되는 재화 또는 용역을 공급하고 교부받은 어음이나 수표가 부도발생하여 법인전환 후에도 당해 매출 채권의 전부 또는 일부가 대손되어 회수할 수 없는 경우에는 그 대손이 확정되는 날이 속하는 과세기간의 매출세액에서 대손세액을 차감할 수 있는 것이나, 당해 사업의 포괄양도 당시 양도대상에서 제외된 매출채권에 대하여는 사업을 폐업한 이후에 대손세액공제사유가 확정된 경우에 해당되어 대손세액공제를 받을 수 없다.

3) 등기부상 소유자 명의가 이전되지는 아니하였으나 쟁점부동산을 사용·수익한 전환법인이 그 실질소유자임(소득, 조심-2016-광-3412, 2017. 2. 9., 인용)

[요 지]

법인전환 후 쟁점부동산은 전환법인의 장부상 유형자산으로 계상되었고, 그 처분손익 또한 전환법인의 법인세로 과세되었으며 쟁점부동산을 담보로 한 차입금을 전환법인이 계상하였던 점에 비추어 쟁점부동산은 사실상 전환법인의 자산으로 봄이 타당함.

[청구인 주장]

○○○이라는 상호로 우레탄 제조업(이하 "개인기업"이라 한다)을 영위하던 중 ○○○ 쟁점토지를 매입하여 ○○○ 같은 곳에 공장건물을 신축하고 쟁점부동산 소재지로 사업장을 이전하였다.

○○○는 이후 ○○○ 개인기업을 사업양수도방법에 따라 주식회사○○○(이하 "전환법인"이라 한다)로 법인전환하고 개인사업을 폐업하였으나 쟁점부동산을 전환법인 명의로 소유권이전등기를 하지 아니하였다.

전환법인은 ○○○의 개인기업으로부터 포괄양수도에 따라 취득한 쟁점부동산을 전환법인의 법인장부에 유형자산으로 계상하여 전환법인의 폐업 시 ○○○까지 사용·수익한 후, 쟁점부동산 양도 시에는 양도차손익을 유형자산처분손익으로 인식하여 전환법인의 ○○○ 법인세를 신고·납부하였으며 폐업에 의한 의제배당세액도 원천징수하여 납부하였다.

이상의 사실과 같이 쟁점부동산을 전환법인 명의로 등기이전하지는 않았으나 전환법인은 포괄양수도에 따라 취득한 쟁점부동산을 유형자산으로 계상하여 10년 동안 계속하여 사용·수익하였는 바, 쟁점부동산의 실질소유자는 전환법인으로 보아야 하므로 쟁점부동산 양도에 대하여 ○○○의 납세의무를 승계시켜 청구인 등에게 과세된 양도소득세는 취소되어야 한다.

[처분청 의견]

청구인은 쟁점부동산이 개인기업의 포괄양수도에 의해 전환법인으로 귀속되었으며 법인장부에 자산으로 계상하여 사용·수익하였으므로 전환법인의 유형자산이라고 주장하나, 부동산 소유권과 관련된 사항은 등기로 공시되는 것이며 그 등기된 내용에 따라 여러 가지 법률관계가 확정되므로 「부동산 실권리자명의 등기에 관한 법률」에 반하여 등기상 명의자가 아닌 전환법인이 쟁점부동산의 소유자라고 볼 수도 없으므로 ○○○ 소유의 쟁점부동산 양도 건에 대하여 양도소득세를 부과한 이 건 처분은 정당하다.

또한 전환법인은 사업양수도를 한 날○○○이 속하는 과세연도의 과세표준신고 시 이월과세 적용신청서를 제출하지 않았으며 법인전환 시 취득한 주식가액이 폐업한 개인기업의 순자산 가액보다 적어 이월과세 요건에도 해당하지 않는다.

[판단]

공부상의 등기가 법인의 명의로 되어 있지 아니하더라도 사실상 당해 법인이 취득하였음이 확인되는 경우에는 이를 법인의 자산으로 보아야 할 것인 바, 법인전환을 전후한 대차대조표에 따르면 개인기업과 전환법인이 계상한 쟁점부동산의 가액이 동일하고 취득 시부터 양도 시까지 사업장을 이전한 사실이 없는 등 전환법인은 ○○○의 개인기업이 취득한 그대로를 인수받은 것으로 나타나는 점, 전환법인은 포괄양수도에 따라 ○○○의 개인기업으로부터 취득한 쟁점부동산을 장부에 유형자산으로 계상하고 2010사업연도 법인세 신고 시 양도에 따른 양도차손익을 유형자산처분손익으로 계상한 점에서 계속하여 법인의 자산으로 인식하였다고 보이는 점, 쟁점부동산을 근저당목적물로 하고 채무자를 전환법인으로 한 근저당권은 수차례인 반면 ○○○로 한 것은 양도 직전의 금융기관 변경사유로 인한 것뿐이며 전환법인의 기존 대출금을 상환한 신규 대출금을 법인의 차입금계정 원장에 계상한 점에서 쟁점부동산에 대한 담보가치를 ○○○가 향유하였다고 보이지는 아니하는 점 등에 비추어 전환법인은 법인전환 시부터 폐업 시까지 계속하여 쟁점부동산을 사실상의 자산으로 삼아 사용·수익한 것으로 인정된다.

따라서 처분청이 쟁점부동산의 양도와 관련하여 양도소득세 납세의무자를 ○○○로 보아 공동상속인인 청구인 등에게 납세의무를 승계시켜 양도소득세를 부과한 이 건 처분은 잘못이 있다고 판단된다.

4) 법인전환 시 자산과 함께 양도된 영업권이 있다고 본 처분의 당부

(양도, 조심-2018-중-3003, 2018. 11. 16., 경정, 완료)

[요 지]

청구인은 쟁점사업장을 오랜 기간 운영하여 관련 업계에서 그 전통을 인정받고 사회적 신용이 형성되어 있었던 것으로 보이므로 양수법인이 영업권에 대한 대가 없이 쟁점사업장의 자산과 부채를 인수한 날에 개인사업인 쟁점사업장의 영업권이 인도된 것으로 보아 그 날을 영업권의 증여일로 하여 증여이익을 계산함이 타당함.

[청구인 의견]

법인전환 과정에서 개인사업자인 청구인과 신설법인인 ○○○ 사이에 2014. 12. 23.에 작성된 사업양도·양수계약서 제3조 및 제4조에 의하면 사업양수인인 ○○○는 2014. 12. 31.을 양도양수기준일로 하여 같은 날 현재 쟁점사업장의 장부상 자산총액과 부채총액을 인수하기로 하되, 토지·건물·기계장치·차량운반구 등에 대해서는 감정평가사의 감정가액으로 수정 평가하고, 그 밖의 자산과 부채는 기업회계기준에 따라 수정할 사항이 있을 때에는 수정 평가하며 필요시 공인회계사의 회계감사를 받도록 규정하고 있다.

위 계약서 내용에 의하면 청구인과 ○○○ 간에는 2014. 12. 31. 현재의 쟁점사업장의 장부상 자산총액과 부채총액만이 사업양도·양수의 대상이고, 쟁점사업장의 자산 외에 별도로 영업권을 인정하거나 영업권을 유상양도한다는 어떠한 합의도 한 바가 없음이 나타난다(제출한 사업양도·양수계약서 참조).

청구인은 법인전환을 위한 사업양수도 이후 현재까지 영업권의 대가로 어떠한 금전을 ○○○로부터 지급받은 바 없으며, ○○○ 또한 회사의 장부에 영업권을 계상한 사실이 없다.

일반기업회계기준 제12장에 의하면, 영업권은 사업결합에 따라 취득자가 제공한 이전대가가 취득일의 식별가능한 취득자산과 인수부채의 순액을 초과하는 금액만을 인정하고 내부적으로 창출된 자가창설 영업권은 영업권으로 인정되지 않기에 공인회계사의 감사보고서에도 자가창설 영업권을 무형자산인 영업권으로 평가한 바 없는 것으로 나타난다.

「소득세법」상 영업권을 별도로 평가하지 않았으나 사회통념상 자산에 포함되어 함께 양도된 것으로 인정되는 경우가 구체적으로 무엇인지에 대해 구체적으로 법령에 명시하고 있지 않고, 판례 등(○○○ 2010. 9. 2. 선고 2009구단2112 판결, 국심 2001서294, 2001. 5. 9., 참조)에서는 사업양도·양수계약서(혹은 매매계약서)의 내용 및 대금수수 과정 등의 구체적인 사실관계에 관한 자료로 영업권의 존재가 객관적으로 확인되는 경우에 한하여 사회통념상 자산에 포함되어 영업권이 함께 양도된 것으로 인정하고 있다.
청구인과 ○○○ 간에 작성된 사업양도·양수계약서상 영업권을 유상양도한다는 어떠한 합의도 하지 않은 점, 청구인이 ○○○로부터 영업권의 대가로 금원을 받은 사실이 없고, ○○○도 회사 장부에 영업권을 계상한 사실이 없는 점, 쟁점사업장의 자산 및 부채 평가방법에 따라 작성된 감정평가법인의 감정평가서 및 공인회계사의 감사보고서상에도 영업권 평가에 관한 언급이 전혀 없는 점 등에 비추어 쟁점사업장의 법인전환 시에 청구인과 ○○○ 간에 쟁점영업권을 양수도한다는 합의가 존재함을 입증할만한 구체적인 자료는 없다.

[처분청 의견]
청구인 ○○○은 동종 업계 대비하여 초과수익력을 가진 ○○○(쟁점사업장)을 법인전환하면서, 사업용 고정자산과 함께 영업권을 양도하였지만 영업권에 대하여는 양도소득세를 신고하지 않았다. 따라서 영업권 평가액만큼 이를 저가양도한 것으로 보는 것이 타당하고, 부당행위

여부에 대한 판단의 기준일은 사업양수도계약서상 양수도 기준일인 2014. 12. 31.로 보는 것이 타당하다고 판단되는 바, 처분청이 양도소득에 대한 부당행위계산부인 규정에 의거하여 청구인 ○○○에게 한 쟁점부과처분은 적법하다.

청구인은 영업권을 저가양도한 것으로 보아 부당행위계산부인을 하더라도 그 부당행위 여부를 판단하는 기준일은 사업양수도계약서가 작성된 2014. 12. 23.로 보아야 하고, 해당 기준일의 영업권 평가액은 ○○○원으로서 청구인 ○○○·○○○의 각 증여재산가액은 ○○○원(영업권 평가액 ○○○원에 청구인 ○○○·○○○의 ○○○에 대한 주식보유비율 ○○○%를 곱한 금액)에 불과하여 그 금액이 ○○○원 미만이므로 「상속세 및 증여세법 시행령」 제31조 제6항에 의거 청구인 ○○○·○○○에게 이 건 증여세를 부과한 처분은 위법하다고 주장하나,

사업양수도계약서 제3조(양도양수·부채 및 기준일)에 2014. 12. 31.을 양도·양수기준일로 하여 동일 현재의 장부상 자산총액과 부채총액을 인수하기로 한다고 되어 있으므로 쟁점사업장의 영업권의 양도와 관련하여 부당행위 여부를 판단하는 기준일은 영업권에 대한 대가 없이 쟁점사업장을 양도·양수하기로 계약한 날인 2014. 12. 23.이 아니라 양수도하는 자산·부채·순손익 등의 가액이 확정되는 2014. 12. 31.로 함이 타당하다고 판단된다.

설령, 부당행위 여부에 대한 판단의 기준일이 위 '매매계약일'인 2014. 12. 23.이라고 하더라도, 정확한 영업권 가액의 평가를 위해서는 2014. 12. 23. 현재로 자산, 부채, 순손익 등을 가결산하여야 하고, 평가기준일이 2014. 12. 31.에서 8일이 앞당겨진다고 해서 자산, 부채, 순손익 등의 가액이 많이 변동된다는 것은 신뢰하기 어렵다.

따라서 처분청이 쟁점사업장 영업권의 양도에 대하여 부당행위 여부를 판단하는 기준일을 쟁점사업장의 사업양수도계약서상 양수도 기준일인 2014. 12. 31.로 하고 부당행위계산부인을 하여 청구인 ○○○이 쟁점사업장의 영업권을 저가양도한 것으로 보아 쟁점부과처분(양도소득세)을 하고, 「상속세 및 증여세법」 제45조의5에 의거 ○○○의 주주인 청구인 ○○○·○○○에게 증여세를 부과한 이 건 처분은 적법하다.

※ 시사점

개인사업자 법인전환 시 초과수익발생 시 부동산과 함께 양도되는 영업권은 양도소득세로 과세가 된다. 다만, 개인양도자와 양수 법인의 주주가 동일인이라면 영업권을 평가하지 않은 부분으로 인한 저가양수로 증여이익에 대한 과세 이슈가 발생하지 않는다. 하지만 위의 사례에서는 사업양수도 시 초과수익에 대한 영업권이 발생하였고, 양수 법인의 주주에는 개인사업자의 주주 이외의 자가 있었으므로 증여의제 이슈가 발생하여 과세가 된 것이다.

5) 포괄양수도 법인전환 시 이월과세 적용여부 및 순자산가액 평가방법

(양도, 부동산거래관리과 - 0579)

[제 목]

포괄양수도 법인전환 시 이월과세 적용여부 및 순자산가액 평가방법

[요 지]

1년 이상 제조업 등을 영위하던 거주자가 발기인이 되어 소멸하는 사업장의 순자산가액 이상을 출자하여 법인을 설립하고 그 법인설립일로부터 3개월 이내에 당해법인에게 사업에 관한 모든 권리와 의무를 포괄적으로 양도하는 경우에는 양도소득세의 이월과세를 적용받을 수 있는 것이며, 순자산가액을 계산함에 있어서 '시가'라 함은 불특정다수인 사이에 자유로이 거래가 이루어지는 경우에 통상 성립된다고 인정되는 가액을 말하며, 수용·공매가격 및 감정가액 등 「상속세 및 증여세법 시행령」 제49조의 규정에 의하여 시가로 인정되는 것을 포함하는 것임.

○ 부동산거래관리과 - 772, 2010. 6. 3.
법인전환 이월과세 적용 시 시가의 산정 방법 등

[회 신]

1. 부동산임대업을 영위하는 거주자가 임대용으로 사용하던 부동산을 「조세특례제한법」 제32조 및 「같은 법 시행령」 제29조의 규정에 의하여 현물출자하거나 사업양수도방법에 의하여 법인(소비성서비스업을 영위하는 법인을 제외함)으로 전환하는 경우 당해 부동산에 대하여는 양도소득세의 이월과세를 적용받을 수 있는 것입니다.

2. 「같은 법 시행령」 제28조 제1항 및 제29조 제4항의 순자산가액을 계산함에 있어서 '시가'라 함은 불특정다수인 사이에 자유로이 거래가 이루어지는 경우에 통상 성립된다고 인정되는 가액을 말하며, 수용·공매가격 및 감정가액 등 「상속세 및 증여세법 시행령」 제49조의 규정에 의하여 시가로 인정되는 것을 포함하는 것입니다. 한편, 사업용 고정자산에 대한 감가상각누계액은 "충당금을 포함한 부채의 합계액"에 포함되지 아니하는 것입니다.

6) 소외 법인이 설립 당시 벤처기업에 해당하는지 여부

(양도, 서울행정법원-2015-구단-59818, 2017. 5. 16., 국승, 진행 중)

[제 목]

소외 법인이 설립 당시 벤처기업에 해당하는지 여부

[요 지]

소외 법인이 개인사업자의 사업을 포괄적으로 양수하였다고 보기 어려움.

[판 단]

국세청 전산자료에 BBB의 폐업 사유로 '신고 법인전환(폐업)'이 기재되어 있으나, 전산상 폐업사유는 납세자인 이AA이 신고한 내용을 그대로 기재하였기 때문이고, 국세청이 BBB의 폐업사유를 사실상·법률상 직접 조사한 것은 아니어서 BBB의 폐업사유가 법률적으로 법인전환이었기 때문이라고 그대로 믿기는 어렵다.

소외 법인이 구 조세특례제한법 제6조 제1항에 따라 2001년부터 2005년까지 창업중소기업등에 대한 세액감면을 받았을 뿐 구 조세특례제한법 제32조 제1항 제4항에 따라 법인전환에 대한 양도소득세의 이월과세를 감면받은 바는 없다.

사업의 포괄양수도가 이루어졌다고 인정하기 위해서는 포괄양수도계약서, 직원의 고용승계 여부 등을 살펴봐야 하는데, 이에 대한 아무런 자료가 제출되어 있지 않아 BBB와 소외 법인이 동일 장소에서 동일 업종을 영위하고 있다는 사실만으로 사업의 포괄양수도가 있었다고 단정할 수 없다.

7) 개인기업의 사업을 포괄양수한 경우 창업벤처중소기업 세액감면을 적용할지 여부

(법인, 국심2004서4098, 2005. 4. 8., 인용)

[제 목]

개인기업의 사업을 포괄양수한 경우 창업벤처중소기업 세액감면을 적용할지 여부

[요 지]

창업중소기업의 요건을 갖춘 개인기업이 법인으로 전환하는 경우 창업벤처중소기업 세액감면을 적용받을 수 있음.

[처분개요]

처분청은 청구법인이 ○○○로부터 사업을 양수하고 ○○○가 사업을 개시한 날부터 2년 이내에 ○○○으로부터 벤처기업으로 확인을 받았으나 ○○○로부터 사업을 시작한 날부터 1년에 미달하여 사업을 양수하였다 하여 청구법인은 조세특례제한법 제6조 제2항에 규정하는 창업벤처중소기업에 해당되지 아니하는 것으로 보아 2004. 8. 16. 청구법인에게 창업벤처중소기업 세액감면을 배제하고 2000사업연도 법인세 481,197,630원, 2002사업연도 법인세 69,806,960원을 경정 고지하였다.

[판 단]

조세특례제한법 제6조의 규정을 보면 벤처기업육성에 관한 특별조치법 제2조 제1항 제1호, 제3호 및 제4호의 규정에 의한 중소기업 등으로서 사업을 개시한 날로부터 2년 이내에 관할관청으로부터 벤처기업으로 확인받은 제조업, 광업, 부가통신업, 연구 및 개발업 등을 영위하는 기업에 대하여는 그 확인을 받은 날 이후 최초로 소득이 발생한 과세연도와 그 다음 과세연도 개시일부터 5년 이내에 종료하는 과세연도까지 당해 사업에서 발생한 소득에 대한 소득세 또는 법인세의 100분의 50에 상당하는 세액을 감면하는 것으로 규정(제2항 및 제3항)되었으며, 창업벤처중소기업 세액감면을 적용함에 있어서 내국인이 합병, 분할, 현물출자 또는 사업의 양수를 통하여 기존사업을 승계 또는 인수하거나 거주자가 영위하던 사업을 법인으로 전환하여 새로운 법인을 설립하는 경우에는 창업으로 보지 아니하는 것으로 규정(제4항)되어 있다.

"거주자가 영위하던 사업을 법인으로 전환하여 새로운 법인을 설립하는 경우에는 창업으로 보지 아니하는 것"이라는 조세특례제한법 제6조 제4항의 규정은 일반적인 규정으로서, 동조 제1항 내지 제3항에 규정된 창업 중소기업 이외의 일반 개인기업이 법인으로 전환하는 경우 창업 중소기업 등으로 보지 않겠다는 규정으로서 당해 사례와 같이 창업벤처중소기업의 요건을 갖춘 개인기업이 법인으로 전환하는 경우까지 적용을 배제하는 것은 아니다. 이 경우 창업일은 법인설립일이 아니고 개인기업으로서의 개인기업으로의 사업자등록일이 되는 것이다.

따라서 처분청은 청구법인이 ○○○가 사업을 시작한 날(1999. 1. 9.)부터 2년 이내인 2000. 4. 25. ○○○으로부터 벤처기업 확인을 받았는데도 청구법인이 김○○으로부터 사업을 개시한 날부터 1년이 경과되지 아니한 ○○○의 사업을 양수하였다 하여 청구법인이 창업벤처중소기업에 해당하지 아니한다 하여 청구법인에 대하여 창업벤처중소기업 세액감면을 배제한 당초 처분은 잘못된 것으로 보인다.

8) 법인사업체의 발기인이 되어 개인사업체의 순자산가액 이상을 출자한 경우로 인정되므로 양도소득세를 이월과세함이 타당함(양도, 국심2007부1540, 2007. 11. 27., 인용)

[제 목]

양도소득세 이월과세 적용배제하고 부과한 처분의 당부

[요 지]

법인사업체의 발기인이 되어 개인사업체의 순자산가액 이상을 출자한 경우로 인정되므로 양도소득세를 이월 과세함이 타당함.

[사실관계 및 판단]

(1) 법인사업체의 법인등기부에는 2006. 1. 6. 자본금 3억 원(보통주식 30,000주, 액면가액 10,000원)으로 설립되었고, 2005. 12. 28.자 주주명부에는 발기인이자 대표이사인 청구인이 보통 주식 10,500주에 해당하는 105,000,000원을 출자한 사실이 나타난다.

(2) 쟁점부동산의 토지 및 건물의 등기부등본에는 개인사업체의 토지 및 건물에 대하여 법인사업체가 2006. 1. 10. 사업양도·양수 계약을 원인으로 소유권 이전 등기하였음이 나타나고, 소유권 이외의 권리사항에는 법인사업체가 2006. 4. 19. 개인사업체의 근저당설정채무를 인수한 사실이 나타난다.

(3) 청구인과 주식회사 ○○은행 간에 체결한 2001. 6. 28.자 근저당설정계약서에는 채권자는 주식회사 ○○은행, 채무자는 청구인, 채권최고액은 7억 원이며, 2001. 7. 23.자 근저당설정계약서에는 채권자는 주식회사 ○○은행, 채무자는 청구인, 채권최고액은 390,000,000원(합계 1,090,000,000원)임이 나타난다.

(4) 위 근저당설정계약과 관련하여 주식회사 ○○은행의 청구인에 대한 대출금현황표에는 2006. 2. 1. 현재 청구인 명의의 대출금이 654,500,000원임이 나타나고, 주식회사 □□은행의 청구인에 대한 대출금 내역에는 2006. 2. 1. 현재 대출금이 200,000,000원(합계 854,500,000원) 임이 나타난다.

(5) 개인사업체를 운영한 청구인과 법인사업체 간에 체결한 사업양도·양수계약서(2006. 1. 10.)에는 법인사업체가 개인사업체의 일체의 권리와 의무를 포괄적으로 양도·양수함으로써 부가가치세법 제6조 제6항의 규정에 의한 사업양도를 하고, 또한 조세특례제한법 제32조에 의한 양도소득세 이월과세 등을 받는 법인으로 전환하며, 양도·양수기준일 현재 개인사업체 장부상 자산 및 부채총액을 인수하고 토지, 건물, 기계장치 등 유형자산은 시가로 평가한다고 기재되어 있다.

(6) 청구인의 양도소득세 이월과세 적용신청서(2006. 3. 31.)에는 개인사업체의 순자산가액을 91,594,817원(이는 자산 1,217,506,813원에서 부채 1,125,911,996원을 차감한 금액임)으로 계산하여 청구인이 개인사업체의 순자산가액 이상인 105,000,000원을 출자한 경우라 하여 양도소득세의 이월과세 적용신청을 하였음이 나타난다.

(7) 이를 바탕으로 청구인이 운영하던 개인사업체가 법인으로 전환된 경우로, 청구인이 개인사업체의 순자산가액에 미달한 금액을 출자한 경우라 양도소득세의 이월과세 적용을 배제하고 청구인에게 양도소득세를 부과한 처분이 타당한지를 본다.

(가) 조세특례제한법 제32조 제1항, 동법 시행령 제29조 제2항 및 제4항에서는 개인기업이 사업양수도 방법에 의하여 법인으로 전환하는 경우, 양도소득세의 이월과세를 적용하기 위해서는 법인의 자본금이 개인기업의 순자산가액 이상임은 물론, 개인기업을 운영하던 자가 법인의 발기인이 되어 순자산가액 이상을 출자한 경우에 양도소득세를 이월과세한다고 규정하고 있다.

(나) 먼저, 법인사업체가 개인사업체의 자산과 부채를 포괄적으로 양도·양수하였는지를 보면, 2006. 1. 10.자 사업양도·양수계약서에는 법인사업체가 개인사업체의 권리와 의무를 포괄적으로 양도·양수하기로 약정한 사실이 나타나고, 2006년 2월 법인사업체의 급여지급대장에는 개인사업체의 직원 15명이 법인사업체로 전원 승계되었음이 나타나며, 법인사업체의 대차대조표에는 개인사업체의 자산 중 가지급금을 제외한 자산 전부가 승계되었음이 나타나며, 여기에는 법인사업체가 개인사업체의 사업에서 발생한 채권·채무를 일체 승계한 사실도 나타난다.

(다) 처분청은 법인사업체가 청구인이 운영하였던 개인사업체를 포괄 양도·양수하기로 하였음에도 가지급금을 제외함으로써 사업에 관한 모든 권리와 의무를 포괄적으로 양도·양수한 것으로 볼 수 없다는 의견이지만, 가지급금은 개인사업체에 대한 채권임과 동시에 기업주에 대한 채무로서 이를 법인사업체에 승계시킬 자산으로 보기 어렵고(국세청 심사상속 98-267, 1998. 12. 4. 같은 뜻임), 또한, 가지급금은 개인사업체가 출자금의 인출로 처리할 대상이므로, 이를 승계대상 자산에서 제외함이 타당하다 할 것이다.

(라) 또한 처분청은 청구인이 근저당권이 설정된 토지와 건물 및 기계장치에 대하여 근저당설정 채권최고액이 아닌 금액으로 평가함으로써 순자산가액을 축소한 혐의가 있다는 의견이지만, 상속세 및 증여세법 제66조 및 동법 시행령 제63조 제1항 제3호에서 규정한 근저당권이 설정된 "당해 재산이 담보하는 채권액"이란 평가기준일 현재 남아 있는 실제 채권액을 의미한다 할 것(국심 2002서2161, 2003. 4. 7. 같은 뜻임)이므로 사업양수도일 현재 대출금 잔액인 854,500,000원으로 평가함이 타당하다 할 것이다.

(마) 이러한 내용을 반영하여 사업양수도일(2006. 1. 10.) 현재 개인사업체의 순자산가액을 계산하면, 별지 〈표 2-1, 2-2〉와 같이 △72,966,415원으로 계산된다.

(바) 그렇다면 이 건은 청구인이 법인사업체의 발기인이 되어 개인사업체의 순자산가액 이상

인 105,000,000원을 출자한 경우로 인정되므로, 처분청은 청구인의 양도소득세를 이월 과세함이 타당하다고 판단된다(국심 2004전2754, 2005. 8. 31. 참조).

9) 청구법인이 조세특례제한법 제63조에 따른 수도권과밀억제권역 밖으로 이전하는 중소기업에 대한 세액감면대상인지 여부

(법인, 조심-2018-중-4301, 2018. 12. 19., 기각, 진행 중)

(법인, 의정부지방법원-2019-구합-11236, 2019. 12. 19., 국승, 진행 중)

[제 목]

청구법인이 조세특례제한법 제63조에 따른 수도권과밀억제권역 밖으로 이전하는 중소기업에 대한 세액감면대상인지 여부

[요 지]

청구법인은 수도권과밀억제권역 안에서 약 9개월간 사업을 영위하다가 본점을 이전하였고 개인사업자에서 법인으로 전환한 경우라고 보기도 어려운 점 등에 비추어 수도권과밀억제권역 안에서 2년 이상 계속 사업을 영위한 중소기업에 해당하지 아니함.

[사실관계 및 판단]

청구법인은 2013~2016사업연도 법인세 정기신고 및 2017. 7. 19. 수정신고 시 조세특례제한법 제63조에 따른 세액감면을 적용하지 않았다가 2018. 2. 19. 당해 세액감면을 적용하여 아래 〈표〉와 같이 경정청구를 하였고, 이에 처분청은 조세특례제한법 제60조의 감면을 적용받기 위하여는 개인사업자가 조세특례제한법 제32조에 따라 법인으로 전환한 경우에 개인사업자의 사업기간을 합산할 수 있으며, 청구법인은 이에 해당하지 않는다는 이유로 이를 거부하였다.

○○○은 1998. 12. 27. 개업하여 ○○○에서 '○○○'이라는 상호로 칫솔 제조업을 주업종으로 (개인)사업자등록을 하였고, 2002. 7. 23. ○○○로 사업장을 이전하였다가 2008. 6. 17. ○○○으로 다시 이전하였으며, '○○○'은 2012. 1. 31.자로 폐업되었고, 2012. 2. 20. 접수된 폐업신고서에 따르면 폐업사유는 기타(10)로, 사업양도·양수계약서 등은 첨부되지 않았다.

○○○이 2012. 1. 3. 제출한 법인설립신고 및 사업자등록신청서, 등기사항전부증명서 등에 따르면, 청구법인은 2011. 12. 29. 개인사업장 소재지○○○를 본점소재지로 하여 설립등기

를 하였고, 목적사업은 칫솔 제조 및 판매업 등 사업개시일은 2012. 1. 2.이며, 이후 2012. 10. 17. 당초 소재지○○○에서 현 소재지○○○로 본점소재지를 이전하였고, 청구법인의 발행주식 1주당 금액은 ○○○원, 발행주식 총수는 ○○○주로 자본금 총액은 ○○○으로 법인 설립시 현물출자는 없었고, 대표이사는 발기인 중 한 명으로 ○○○원을 출자하고 주식 ○○○주를 인수하였다.

청구법인의 2012년 제1기 부가가치세 신고서, 매입처별 세금계산서합계표, 건물 등 감가상각자산 취득명세서에 의하면, 청구법인은 개인사업자 '○○○'으로부터 기계장치 등 고정자산을 공급받고 매입세금계산서(공급가액 ○○○원) 총 27매를 수취하였고, 관련 매입세액을 매출세액에서 공제하여 2012. 6. 20. ○○○원을 환급받은 것으로 나타난다.

청구법인이 심판청구 시 제출한 '사업의 포괄적 양도양수계약서'(2011. 12. 15.)에 따르면, '○○○'과 청구법인은 영업 이외의 미수금 및 미지급금을 제외한 자산·부채를 시가로 평가하여 2012. 1. 1. 양도·양수하고, 종업원을 승계하기로 한 내용이 기재되어 있다.

청구법인이 제출한 2012. 1. 2.(법인의 사업개시일) 현재 청구법인의 대차대조표는 사실관계 및 관련 법령 등을 종합하여 살피건대, 청구법인은 개인사업자가 사업의 포괄양수도 방법으로 법인으로 전환하였으므로 개인사업자의 사업기간을 합산하면 수도권과밀억제권역 안에서 '2년 이상' 계속 사업을 영위하다가 수도권과밀억제권역 밖으로 이전한 중소기업에 해당하므로 조세특례제한법 제63조에 따른 세액감면 대상이라고 주장하나, 조세특례제한법 제63조 및 같은 법 시행령 제60조 제1항은 수도권과밀억제권역 밖으로 이전하는 중소기업에 대한 세액감면 적용을 위한 요건을 ① 수도권과밀억제권역 안에서 2년 이상 계속하여 공장시설을 갖추고 사업을 영위하는 중소기업에 해당할 것, ② 수도권과밀억제권역 밖으로 공장시설을 전부 이전하고 본점도 함께 이전할 것, ③ 감면대상소득은 공장시설 및 본점 이전 후의 공장에서 발생하는 소득에 해당할 것, ④ 이전일로부터 1년 이내에 수도권과밀억제권역 안에 소재하는 구 공장을 다른 사람에게 양도하거나 구 공장에 남아있는 공장시설의 전부를 철거 또는 폐쇄하여 당해 공장시설에 의한 조업이 불가능한 상태에 있을 것 등으로 규정하고 있는바, 청구법인의 경우 2012. 1. 2. 설립되어 수도권과밀억제권역 안에서 약 9개월간 사업을 영위하다가 2012. 10. 17. 수도권과밀억제권역 밖으로 본점을 이전하였으므로 위 조세특례제한법령의 규정에 의한 세액감면 요건을 충족하지 못하였다 할 것이다.

한편, 예외적으로 조세특례제한법 시행령 제60조 제1항에서 규정한 '2년 이상 계속 조업한 실적이 있는 공장'이라 함은 제조장단위별로 2년 이상 조업한 경우로서 개인사업자가 대도시 안에서 영위하던 사업을 조세특례제한법 제32조의 규정에 의하여 법인으로 전환하고 당해 공장시설을 지방으로 이전하는 경우에는 당해 개인사업자가 조업한 기간을 합산할 수 있는 바(조세특례제한법 기본통칙 63-60…1), 청구법인 설립 전 개인사업자('○○○')의 현물출자 사실이 없고 법인 설립 당시 자본금 OOO이 소멸사업장인 개인사업자의 순자산가액 OOO 이상의 금액에 해당하지 아니하므로 청구법인은 조세특례제한법 제32조의 규정(사업용 고정자산을 현물출자하거나 조세특례제한법 시행령 제29조에서 정하는 사업의 양도·양수의 방법에 따라 법인으로 전환하는 경우)에 따라 개인사업자에서 법인으로 전환한 경우로 볼 수도 없다 하겠다.

따라서 처분청이 청구법인을 수도권과밀억제권역 안에서 2년 이상 계속 사업을 영위한 중소기업에 해당하지 아니하는 것으로 보아 청구법인의 경정청구를 거부한 처분은 잘못이 없는 것으로 판단된다.

4 현물출자 법인전환

(1) 개요

개인사업자의 사업용 고정자산을 법인에게 현물출자하여 법인을 설립하는 방법이다. 여기서 현물출자라 함은 금전이 아닌 재산으로 출자하는 것으로 재무상태표상 자산으로 표시되는 동산, 부동산, 채권, 유가증권, 특허권, 상표권 등 자산뿐만 아니라 부채로 표시되는 계정도 가능하다.

현물출자 법인전환 방법은 양도소득세 이월과세, 취득세 면제, 부가가치세 면제, 국민주택채권 매입면제 등 법인전환 방법 중에서 조세혜택이 가장 많으나 그만큼 까다로운 절차를 거쳐야 한다.

현물출자의 방식은 순자산 이상의 자본금을 실제 납입하지 않아도 되므로 순자산가액이 높게 나오는 부동산임대업이나 제조업에서 실행하게 된다.

(2) 현물출자 법인전환의 장점과 단점

1) 현물출자 방식의 장점

① 현금을 출자하는 것이 아니므로 법인전환 시 자금(설립자본금인 현금)부담을 완화시킬 수 있다.

② 조세지원혜택이 세 감면 포괄양수도, 중소기업통합, 포괄양수도 방식 중에서 가장 많은 세금혜택이 있다.

2) 현물출자 방식의 단점

① 상법 제290조 변태설립사항으로 규정되어 있어 법인설립 과정에 법인이 선임한 검사인의 조사 또는 이에 갈음하는 공인된 감정인의 감정을 받아야 하는 복잡한 절차를 거쳐야 한다.

※ 법원이 선임한 검사인은 현물출자 내용과 그 가액을 조사함에 있어 공인회계사의 감정과 감정기관의 감정 자료를 참고로 활용하게 된다. 일반적으로 대차대조표상에 계상할 수 있는 유형 자산이며, 이를 제외한 자산은 공인회계사의 감사대상이 된다. 감정대상이 되는 유형 자산에는 부동산(토지와 건물), 기계장치, 집기, 비품, 차량운반구, 중기 및 기기류, 금형 등 이외에 여러 가지를 생각할 수 있다.

위에서 언급한 바와 같이 감정대상이 되는 유형 자산에 대하여는 공인된 감정인(감정평가법인 또는 감정평가사)의 감정을 받지만, 이외의 자산에 대하여는 공인회계사의 회계감사를 받아야 한다.

② 이에 따른 검사인 또는 감정인 선임에 관한 비용이 든다.

③ 법인 설립절차와 사업승계절차를 동시에 진행하게 되어 법인설립 시까지 상당한 기간이 소요된다.

(3) 현물출자 법인전환 요건

1) 법인전환 당사자는 거주자

법인으로 전환하는 개인기업주는 해당 사업을 영위하는 국내 주소를 두거나 1년 이상 거소를 둔 개인이어야 한다. 비거주자는 조세혜택을 받을 수 없다. 단, 소비성 서비스업은 제외한다.

2006년 1월 1일 이후로 개인사업자가 법인설립일로부터 1년 이상 당해 사업을 영위해야 한다는 요건은 폐지되었다.

2) 사업용 고정자산을 현물출자할 것

사업용 고정자산이란 사업에 직접 사용하는 유형·무형의 자산을 말한다.

3) 개인사업자가 발기인이 될 것

법 제32조 제1항에서 "대통령령으로 정하는 사업 양도·양수의 방법"이란 해당 사업을 영위하던 자가 발기인이 되어 제5항에 따른 금액 이상을 출자하여 법인을 설립해야 한다.

4) 검사인의 보고

법인설립에 대하여 검사인의 보고를 받아야 한다. 하지만 부동산에 대해서는 감정평가사의 감정과 기타 자산, 부채에 대해서는 공인회계사의 자산부채 실사로 검사인의 보고를 갈음할 수 있다.

5) 소비성 서비스업이 아닐 것

"대통령령으로 정하는 소비성 서비스업"이란 다음 각 호의 어느 하나에 해당하는 사업(이하 "소비성 서비스업"이라 한다)을 말한다.

1. 호텔업 및 여관업(「관광진흥법」에 따른 관광숙박업은 제외한다)
2. 주점업(일반유흥주점업, 무도유흥주점업 및 「식품위생법 시행령」 제21조에 따른 단란주점 영업만 해당하되, 「관광진흥법」에 따른 외국인전용유흥음식점업 및 관광유흥음식점업은 제외한다)
3. 그 밖에 오락·유흥 등을 목적으로 하는 사업으로서 기획재정부령으로 정하는 사업

6) 자본금이 순자산가액 이상일 것

이월과세를 적용받기 위해서는 법인설립 자본금이 개인 결산 시 보고된 순자산가액 이상이 되어야 한다. 여기서 법인으로 전환하는 사업장의 순자산가액이란 '법인전환일 현재의 시가로 평가한 자산의 합계액에서 충당금을 포함한 부채의 합계액을 공제한 금액'을 말한다.

※ 기본통칙 32 – 29…2 【법인전환 시 순자산가액 요건】

① 사업장의 순자산가액을 계산함에 있어서 영업권은 포함하지 아니한다.
② 영 제28조 제1항 및 제29조 제5항의 순자산가액을 계산함에 있어서 '시가'라 함은 불특정 다수인 사이에 자유로이 거래가 이루어지는 경우에 통상 성립된다고 인정되는 가액을 말하며 수용·공매가격 및 감정가액 등 상속세 및 증여세법 시행령 제49조의 규정에 의하여 시가로 인정되는 것을 포함한다.

7) 이월과세 적용신청

양도소득세의 이월과세를 적용받고자 하는 자는 현물출자 또는 사업양수도를 한 날이 속하는 과세연도의 과세표준신고(예정신고를 포함한다) 시 새로이 설립되는 법인과 함께 기획재정부령이 정하는 이월과세적용신청서를 납세지 관할 세무서장에게 제출하여야 한다.

(4) 세금혜택

1) 양도소득세 이월과세

거주자가 사업용 고정자산을 현물출자하거나 대통령령으로 정하는 사업 양도·양수의 방법에 따라 법인(대통령령으로 정하는 소비성 서비스업을 경영하는 법인은 제외한다)으로 전환하는 경우 그 사업용 고정자산에 대해서는 이월과세를 적용받을 수 있다.

여기서 말하는 "이월과세"란 개인이 해당 사업에 사용되는 사업용 고정자산 등을 현물출자 등을 통하여 법인에 양도하는 경우 이를 양도하는 개인에 대해서는 「소득세법」 제94조에 따른 양도소득에 대한 소득세(이하 "양도소득세"라 한다)를 과세하지 아니하고, 그 대신 이를 양수한 법인이 그 사업용 고정자산 등을 양도하는 경우 개인이 종전 사업용 고정자산 등을 그 법인에 양도한 날이 속하는 과세기간에 다른 양도 자산이 없다고 보아 계산한 같은 법 제104조에 따른 양도소득 산출세액 상당액을 법인세로 납부하는 것을 말한다. 즉, 개인이 납부해야 할 양도소득세를 과세하지 않고 법인이 해당 사업용 고정자산을 양도하는 경우 법인세로 납부할 수 있게 지원해 주는 것이다.

부동산을 현물출자하게 되면 과거의 낮은 취득가액으로 인하여 최고구간의 소득세율이 적용될 수 있는데, 이러한 양도소득세를 이월과세해 주기 때문에 굉장히 큰 조세혜택이다.

2) 부가가치세 면제

부가가치세법 시행령 제23조 재화의 공급으로 보지 아니하는 사업 양도에 대해서 부가가치세를 면제해 주고 있다. 사업장별로 그 사업에 관한 모든 권리와 의무를 포괄적으로 승계시키는 것을 말한다.

3) 취득세 면제

「조세특례제한법」 제32조에 따른 현물출자 또는 사업 양도·양수에 따라 2021년 12월 31일까지 취득하는 사업용 고정자산에 대해서는 취득세의 100분의 75를 경감한다. 다만, 취득일부터 5년 이내에 대통령령으로 정하는 정당한 사유 없이 해당 사업을 폐업하거나 해당 재산을 처분(임대를 포함한다) 또는 주식을 처분하는 경우에는 경감받은 취득세를 추징한다.

2020년 8월 12일 부동산임대업에 대한 조세특례제한법 제32조에 따른 취득세 감면은 지방세특례제한법 개정으로 삭제되었다.

※ 지방세특례제한법 제57조의2(기업합병·분할 등에 대한 감면)

> ④ 「조세특례제한법」 제32조에 따른 현물출자 또는 사업 양도·양수에 따라 2021년 12월 31일까지 취득하는 사업용 고정자산에 대해서는 취득세의 100분의 75를 경감(「통계법」 제22조에 따라 통계청장이 고시하는 한국표준산업분류에 따른 부동산 임대 및 공급업에 대해서는 제외한다)한다. 다만, 취득일부터 5년 이내에 대통령령으로 정하는 정당한 사유 없이 해당 사업을 폐업하거나 해당 재산을 처분(임대를 포함한다) 또는 주식을 처분하는 경우에는 경감받은 취득세를 추징한다. 〈개정 2015. 12. 29., 2018. 12. 24., 2020. 8. 12.〉

4) 국민주택채권 매입의무 면제

현물출자 법인전환 시 국민주택채권 매입의무가 면제된다는 법령은 주택법 시행규칙 [별표 8]에서 규정하고 있다. “중소기업법에 의한 중소기업을 경영하는 자가 당해 사업에 1년 이상 사용한 사업용 자산을 현물출자하여 설립한 법인(자본금이 종전 사업자의 1년간 평균 순자산가액 이상인 경우에 한한다)의 설립에 따른 부동산 등기를 하는 경우 국민주택채권의 매입이 면제된다.

5) 조세특례제한법상의 조세감면 및 미공제세액 승계

현물출자 법인전환을 하게 되면 개인사업자가 받을 수 있었던 조세특례제한법상의 각종 조세감면 및 세액공제승계 혜택을 받을 수 있다. 미공제세액을 승계한 자는 승계받은 자산에 대한 미공제세액상당액을 당해 개인사업자의 이월공제잔여기간 내에 종료하는 각 과세연도에 이월하여 공제받을 수 있다.

(5) 사후관리

법인의 설립등기일부터 5년 이내에 다음 사유가 발생하는 경우에는 사유발생일이 속하는 달의 말일부터 2개월 이내에 제1항에 따른 이월과세액(해당 법인이 이미 납부한 세액을 제외한 금액을 말한다)을 양도소득세로 납부하여야 한다. 이 경우 사업 폐지의 판단기준 등에 관하여 필요한 사항은 대통령령으로 정한다.

1) 설립된 법인이 거주자로부터 승계받은 사업을 폐지하는 경우

※ 사업의 폐지 아닌 경우

① 전환법인이 파산하여 승계받은 자산을 처분한 경우

② 전환법인이 「법인세법」 제44조 제2항에 따른 합병, 같은 법 제46조 제2항에 따른 분할, 같은 법 제47조 제1항에 따른 물적분할, 같은 법 제47조의2 제1항에 따른 현물출자의 방법으로 자산을 처분한 경우

③ 전환법인이 「채무자 회생 및 파산에 관한 법률」에 따른 회생절차에 따라 법원의 허가를 받아 승계받은 자산을 처분한 경우

2) 거주자가 법인전환으로 취득한 주식 또는 출자지분의 100분의 50 이상을 처분하는 경우

주식의 처분은 주식 또는 출자지분의 유상이전, 무상이전, 유상감자 및 무상감자(주주 또는 출자자의 소유주식 또는 출자지분 비율에 따라 균등하게 소각하는 경우는 제외한다)를 포함한다.

※ 주식의 처분이 아닌 경우

① 거주자가 사망하거나 파산하여 주식 또는 출자지분을 처분하는 경우

② 해당 거주자가 합병이나 분할의 방법으로 주식 또는 출자지분을 처분하는 경우

③ 해당 거주자가 주식의 포괄적 교환·이전 주식의 현물출자의 방법으로 과세특례를 적용받으면서 주식 또는 출자지분을 처분하는 경우

④ 해당 거주자가 「채무자 회생 및 파산에 관한 법률」에 따른 회생절차에 따라 법원의 허가를 받아 주식 또는 출자지분을 처분하는 경우

⑤ 해당 거주자가 법령상 의무를 이행하기 위하여 주식 또는 출자지분을 처분하는 경우

⑥ 해당 거주자가 가업의 승계를 목적으로 해당 가업의 주식 또는 출자지분을 증여하는 경우로서 수증자가 증여세 과세특례를 적용받은 경우

- 수증자를 해당 거주자로 보되, 5년의 기간을 계산할 때 증여자가 법인전환으로 취득한 주식 또는 출자지분을 보유한 기간을 포함하여 통산한다.

(6) 현물출자 법인전환의 절차와 방법

법인전환의 절차는 세감면 포괄양수도, 현물출자 법인전환, 중소기업 통합의 방법이 큰 틀에서는 유사하고 그중 가장 복잡할 수 있는 현물출자 법인전환의 절차에 대해서 알아보고 다른 방법과는 차이나는 부분만 확인하면 된다.

현물출자 법인전환을 하게 되는 경우 그 사안에 따라서 일정이나 절차가 차이가 나는 경우가 많다. 따라서 아래의 일정표는 유동적일 수 있음을 참조해야 한다.

기본적으로 법원 인가가 필요한 경우 자산, 부채에 대한 검증이 엄격하게 이루어지므로 개인사업자의 분식회계, 자산, 부채의 과소·과대계상에 대해서 주의를 해야 한다.

※ 법인전환 일정표

법인전환 일정표(현물출자 & 발기설립)				
순서	절 차	법인전환 기준일(1/1 기준)		
		주 체	실행시기	비 고
1	현물출자 법인전환의 타당성 검토	세무법인	11/20~11/30	목적에 따른 탁상감정 의뢰
2	법인설립준비 (발기인 구성, 상호결정)	세무법인	12/1~12/10	상속 증여 등 목적에 맞게 주주구성
3	현물출자계약서 작성	세무법인	12/20~12/25	목적에 맞게 작성
4	자산평가액에 대한 감정평가	감정평가법인	12/20~12/31	현물출자일에 맞춰서 정식 감정 요청
5	개인사업자 결산	세무법인	12/20~12/31	세무사사무실에 개인사업자 결산요청
6	회계감사보고서 (순자산가액실사보고서)	회계법인	1/1~1/5	감정평가서상의 금액을 감사 (실사보고서 대체 가능)
7	부가가치세신고, 폐업신고	세무법인	1/1~1/25	가급적 빨리하는 게 좋음.
8	현물출자가액, 자본금결정	세무법인	1/5~1/10	자본금은 순자산가액 이상이 되어야 함.
9	개시 전 법인사업자등록증 발급	세무법인	1/10~1/20	감정평가서, 감사보고서, 사유서로 발급
10	정관작성 및 공증	법무사/ 세무법인	1/10~1/20	감정평가서, 감사보고서/이사, 감사인적사항, 사업의 목적/ 개인사업자 등기권리증/ 임대차계약서/대출관련증빙 (금융거래확인서, 부채증명원)/ 감정인 조사보고서 날인 및 간인/조사보고인 법인등본, 법인인감증명서/조사보고인 자격증사본/조사보고인 사업자 등록증사본
11	주식회사 실체구성	법무사/ 세무법인	1/10~1/20	주식발행사항결정, 출자이행, 이사, 감사선임

순서	절 차	법인전환 기준일(1/1 기준)		
		주 체	실행시기	비 고
12	검사인 선임 신청 및 조사	법무사	1/21~2/20	변태설립사항에 대한 조사 보고서제출
13	법인설립등기	법무사 위임	2/1~2/15	대략 3일~2주 소요
14	명의이전 등 사후일정	세무법인	2/16~2/28	대략 1주~2주 소요

1) 현물출자 법인전환의 타당성 검토

- 현물출자 법인전환의 목적과 이유를 분명히 해야 한다. 현물출자를 하려는 목적이 낮은 누진세율을 적용받으면서 장기적으로 사업을 계속적으로 하려는 것인지, 아니면 높은 상속세 및 증여세를 절감하기 위한 차원인지부터를 분명하게 정할 필요가 있다. 목적이 분명해지면 감정평가금액에 대한 기준도 어느 정도 정해진다.

2) 법인설립준비(발기인 구성, 상호결정)

- 주식회사를 설립하려면 1인 이상의 발기인이 구성되어야 하며, 개인기업 대표는 반드시 발기인에 포함되어야 한다. 현물출자는 발기인만이 가능하기 때문이다. 발기인이란 정관에 발기인으로 기명날인한 자를 말하며 설립사무에 사실상 종사여부는 문제되지 아니하고 1주 이상의 주식을 인수하여야 한다.
- 발기인 중에서 발기인대표 선임하고 발기인 대표가 회사설립 시까지 필요한 사항에 대하여 대표한다. 또한 상호를 결정하여야 하는데 미리 관할법원(등기소)에 상호를 열람하여 동일한 상호유무를 확인하여야 한다.

3) 현물출자계약서 작성

- 개인기업의 사업에 관한 모든 권리와 의무를 포괄적으로 승계시켜 사업의 동일성을 유지하면서 현물출자하여야만 각종 세제혜택을 받을 수 있다. 이를 위해서는 개인기업 대표와 신설되는 법인의 발기인 대표 간에 사업용 재산을 현물출자하면서 부채까지를 포괄적으로 법인에 승계시킬 수 있는 현물출자와 사업

양도·양수의 법률행위를 포괄하는 계약서를 작성하여야 한다.

- 계약체결시기는 현물출자기준일(법인전환기준일) 이전에 이루어져야 하는데, 이는 현물출자계약서를 첨부하여야만 신설될 법인이 사업자등록을 할 수 있기 때문이다.

※ 현물출자계약서 양식

현물출자계약서

(갑) 주 소 :
상 호 :
대 표 : (이하 "갑"이라 한다)

(을) 주 소 :
상 호 : (설립 중인 회사)
발기인대표 : (이하 "을"이라 한다)

제1조 (목적)

본 계약은 "갑"이 운용하고 있는 "사업체(장)"의 사업에 관한 일체의 권리와 의무를 "을"에게 포괄적으로 현물출자함으로써 부가가치세법 제10조 제9항의 규정에 의한 사업양도를 하고, 조세특례제한법 제32조에 의한 양도소득세 이월과세와 지방세특례제한법 57조의2 제4항에 의한 취득세, 등록세 감면을 받는 법인전환을 함에 그 목적이 있다.

제2조 (사업승계)

현물출자기준일 현재 "갑"과 거래 중인 모든 거래처 및 계약관계에 있는 상대방과의 계약일체를 "을"이 인수하여 계속거래 및 계약승계를 보장한다.

제3조 (현물출자기준일)

"갑"은 20 년 월 일 현물출자기준일로 하여 동일 현재의 "갑"의 장부상 자산총액과 부채총액을 현물출자하기로 한다.

제4조 (현물출자가액)

현물출자가액은 제3조의 자산총액에서 부채총액을 차감한 잔액 범위 내에서 검사인 등이 인정하는 가액으로 하되, 자산총액과 부채총액은 장부가액은 장부가액에 불구하고, 다음과 같이 수정 평가한다.

1. 토지, 건물, 기계장치 등 유형자산은 한국감정원의 감정가액으로 수정 평가한다.
   이를 위해, 공인감정평가법인 2곳의 감정가액을 기준으로 평가한다.
2. 위 1항을 제외한 자산과 부채는 공인회계사의 감사보고서상 수정금액으로 수정 평가한다.

제5조 (현물출자에 대하여 교부할 주식의 종류와 수)

"을"은 제4조에서 정한 방법에 의하여 계산된 금액에 상당하는 액면의 보통주식을 "갑"에게 교부하기로 한다.

제6조 (종업원인계)

"을"은 "갑"의 전 종업원을 신규채용에 의하여 전원인수, 계속근무하기로 한다.

제7조 (현물출자계약의 효력)

본 계약은 20 년 월 일에 효력이 발생한다. 따라서 "갑"은 20 년 월 일을 사업양도에 따른 폐업일로 하는 폐업신고를 하여야 하며, "을"은 설립등기일 전이라도 20 년 월 일을 개업일로 하는 사업자 등록 신청을 하고, 20 년 월 일부터 "을"의 계산에 의한 사업을 영위하도록 한다.

제8조 (협조의무)

"갑"은 "을"의 설립등기 및 사업수행에 필요한 일체의 협조를 하여야 한다.

제9조 (기 타)

본 계약규정 이외에도 현물출자에 관하여 협정할 사항이 발생한 경우에는 "갑"과 "을" 쌍방간 협의에 의하여 정하기로 한다. "갑"이 운용하고 있는 시 구 동 번지 소재 사업체(장)의 사업에 관한 일체의 권리와 의무를 "을"에게 포괄적으로 현물출자함에 대하여 다음과 같이 계약을 체결한다.

이상의 계약내용을 "갑"과 "을" 쌍방은 성실히 이행할 것을 약속하며, 이를 증명하기 위하여 본 계약서 2통을 작성, 각 1통씩 보관하기로 한다.

20　　년　　월　　일

(갑) 대　　　표 :　　　　　　　　　(인)
주 민 번 호 :
사업자등록번호 :
주　　　소 :

(을) 발기인 대표 :　　　　　　　　　(인)
주 민 번 호 :
사업자등록번호 :
주　　　소 :

4) 자산평가액에 대한 감정평가

- 현물출자 법인전환은 개인사업자의 자산과 부채가 그대로 법인에 승계가 되기 때문에 특수관계자 간의 거래가 된다. 특수관계자 간의 거래에서는 대가의 공정성이 매우 중요하다. 그 공정성을 자산 가액에 대한 실사보고와 감정보고를 감정평가서로 확인받는다.
- 현물출자방식은 상법상의 변태설립사항이므로 법원이 선임한 검사인으로 하여금 현물출자가액과 내용을 조사하게 되는데, 이 조사는 공인회계사의 감사와 감정기관의 감정으로 갈음할 수 있다.

※ 제299조의2(현물출자 등의 증명) 제290조 제1호 및 제4호에 기재한 사항에 관하여는 공증인의 조사·보고로, 제290조 제2호 및 제3호의 규정에 의한 사항과 제295조의 규정에

의한 현물출자의 이행에 관하여는 공인된 감정인의 감정으로 제299조 제1항의 규정에 의한 검사인의 조사에 갈음할 수 있다. 이 경우 공증인 또는 감정인은 조사 또는 감정결과를 법원에 보고하여야 한다.

※ 감정평가 의뢰 시 필요서류

토지
- 등기부등본 및 토지대장등본
- 토지이용계획확인서(지적도 첨부)
- 위치확인 동의서(공유지분인 나대지 등)

건물
- 등기부등본 및 일반건축물대장
- 토지이용계획확인서(지적도 첨부)

아파트
- 등기부등본 또는 등기권리증
- 집합건축물대장 등본

공장(사업체)
- 토지 및 건물등기부등본 또는 토지 및 일반건축물대장
- 토지이용계획확인서(지적도 첨부)
- 기계기구 및 구축물 목록
- 시설배치도
- 도입시설의 경우 수입신고서 등

자동차(건설기계)
- 자동차(건설기계)등록원부 등본
- 등록증 사본

임야(산림)
- 등기부등본 또는 임야대장 등본
- 토지이용계획확인서(지적도 첨부)
- 입목등록원부등본 또는 입목등기부등본(등기, 등록되어 있는 경우)
- 임상도
- 비보안림증명
- 위치도(1/50,000 또는 1/25,000 지도)
- 조림실적 증명서

5) 개인사업자 결산

- 개인사업자를 법인사업자로 전환하는 경우 당해 연도 1월 1일부터 폐업 전일까지를 사업기간으로 보아 결산하여야 한다. 즉, 개인사업자의 대표는 법인전환 기준일(현물출자 기준일)의 1일 전(개인사업자의 폐업일)을 기준으로 결산을 하여 법인에 현물출자할 자산과 법인에 승계시킬 부채를 확정시켜야 한다. 따라서 결산은 평소 결산기에 행하던 결산절차보다 신속하게 수행하여야 한다.

6) 회계감사보고서(순자산가액실사보고서)

- 개인사업자의 결산이 확정되면 개인사업자의 결산일 현재 모든 자산과 부채에 대하여 그 내용을 확인하고 그 금액의 평가절차를 거쳐야 하는데, 이를 위해서 공인회계사로부터 회계에 관한 감사를 받아야 한다.
- 대부분 회계감사보고서로 알고 있지만 실질은 자산과 부채에 대한 실사보고서이며, 감사보고서와 실사보고서의 차이는 감사인의 의견이 반영되느냐의 차이로 볼 수 있다. 현물출자 법인전환 시 실사보고서가 필요하다.
- 현물출자방식은 상법상의 변태설립사항이므로 법원이 선임한 검사인으로 하여금 현물출자가액과 내용을 조사하게 되는데, 이 조사는 공인회계사의 감사와 감정기관의 감정으로 갈음할 수 있다.

※ 회계감사 의뢰 시 필요서류

- 사업자등록증
- 법인설립일자 기준 결산 재무제표(재무상태표, 손익계산서)
- 계정과목별 명세서
- 계정과목별 원장
- 부동산 감정평가서
- 부가가치세 신고서(예정, 확정)
- 금융자산, 부채 계좌별 잔액 증명서(금융거래확인서: 저당권 등 모두 표기)
- 법인설립 기준일 이후 입출금 내역
- 급여대장/원천징수명세서
- 미수수익/선급비용/미지급비용 계산 내역
- 임대차계약서 전부

- 유형자산 감가상각비 명세서
- 차량운반구 차량등록증
- 회사가 보험에 가입한 자산의 명칭 및 보험가입증명서
- 부동산(토지, 건물) 등기부등본
- 부동산 호수별 임대차계약서
- 외상매출금 중 회수가 불가능할 것으로 확인되는 채권 내역

7) 부가가치세신고, 폐업신고

- 개인사업자를 법인사업자로 전환하기 위해서는 사업장 소재지를 관할하는 세무서에 비치된 폐업신고서를 작성하여 개인사업자의 폐업신고를 하여야 한다. 폐업신고서 폐업사유를 '현물출자 법인전환'으로 하고, 현물출자 계약서를 첨부하여야 한다.
- 현물출자 기준일과 법인설립 등기일자는 차이가 있으므로 현물출자 기준일(법인전환 기준일)을 개업일로 하여 신설될 법인의 사업자등록 신청을 사업장 관할 세무서에 하여야 한다. 즉, 개인기업 폐업한 날의 다음날에 신설될 법인의 사업개시일로 하여 중단없이 사업을 영위토록 하여야 한다.
- 부가가치세 확정신고는 폐업일이 속하는 달의 말일로부터 25일 이내에 하여야 한다.

8) 현물출자가액, 자본금결정

- 현물출자가액은 개인사업자의 순자산평가액을 말하는데, 공인회계사의 회계실사에 의한 자산(유형고정자산 제외) 및 부채금액과 감정평가법인에 의한 유형고정자산 감정가액으로 현물출자가액을 결정한다.

9) 법인사업자등록증 신청 및 발급

- 법인등기 나오기 전에 법인사업자등록을 발급받아야 한다. 조사관들도 잘 모르는 경우가 많아서 그 이유를 잘 설명하여야 한다.

① 현물출자의 경우 검사인의 조사를 감정인의 감정으로 갈음

현물출자란 법인을 설립하면서 요구되는 자본금에 대한 납입의 방법으로 금전이외의 재산을 이전하고 이를 대가로 지분을 받는 것으로 상법에서 현물출자의 경우 아래의 사항을 준수하도록 되어 있다.

- 주식회사 설립 시 상법 제290조에 따른 현물출자의 경우 검사인은 상법 제299조에 따라서 법원에 현물출자의 이행을 조사하여 법원에 보고하여야 하며, 상법 제299조의2에 따라 부동산에 대한 감정평가사의 감정평가와 회계사의 자산·부채에 대한 실사보고서 등으로 갈음할 수 있다.

상법 제299조의2(현물출자 등의 증명), 제290조 제1호 및 제4호에 기재한 사항에 관하여는 공증인의 조사·보고로, 제290조 제2호 및 제3호의 규정에 의한 사항과 제295조의 규정에 의한 현물출자의 이행에 관하여는 공인된 감정인의 감정으로 제299조 제1항의 규정에 의한 검사인의 조사에 갈음할 수 있다. 이 경우 공증인 또는 감정인은 조사 또는 감정결과를 법원에 보고하여야 한다.

② 법원의 변경처분

이에 법원은 상법 제300조에 따라 위의 내용을 심사하여 부당하다고 인정하는 때에는 변경처분 등을 할 수 있다.

※ 제300조(법원의 변경처분)

법원은 검사인 또는 공증인의 조사보고서 또는 감정인의 감정결과와 발기인의 설명서를 심사하여 제290조의 규정에 의한 사항을 부당하다고 인정한 때에는 이를 변경하여 각 발기인에게 통고할 수 있다.

③ 설립 시 자본금의 확정

현물출자로 납입한 자본금에 대한 판단을 하기 위해서는 현물출자시점(=법인전환 기준일=신설법인사업 개시일=개인기업폐업일의 익일)에 출자할 자본금을 확정해야 한다. 그 이유는 특정한 시점을 결정하여 감정평가와 실사보고 등을 하

게 되므로 그 시점이 반드시 결정되어야만 법원에서 위의 내용에 대한 심사 등을 할 수 있기 때문이다.

④ 설립 시 자본금 확정의 위배

개인사업자를 폐업하지 않고, 법원의 허가가 나올 때까지 개인으로 사업을 운영한다면, 임대수익 등이 개인에게 귀속하게 되어 자산·부채가 변동되므로 결과적으로 특정시점에 감정평가 및 회계감사를 통한 자본금이 변동하게 된다. 이러한 경우 상법 제289조 제1항 설립 시 자본금이 확정되어야 한다는 원칙에 위배된다.

⑤ 법원의 검사

그러므로 특정시점을 기준으로 개인사업자등록을 폐업하고 모든 권리와 의무가 법인사업자에게 이전되어야 법원에서 현물출자에 대한 검사를 할 수 있다.

⑥ 부가가치세법상 사업자등록 의무불이행

※ 부가가치세법 제11조(사업자등록 신청과 사업자등록증 발급)

법 제8조 제1항에 따라 사업자등록을 하려는 사업자는 사업장마다 다음 각 호의 사항을 적은 사업자등록 신청서를 세무서장(관할 세무서장 또는 그 밖의 세무서장 중 어느 한 세무서장을 말한다)에게 제출(국세정보통신망에 의한 제출을 포함한다)하여야 한다.

1. 사업자의 인적사항
2. 사업자등록 신청 사유
3. 사업 개시 연월일 또는 사업장 설치 착수 연월일
4. 그 밖의 참고 사항

⑦ 부가가치세법상 부가가치세 납세의무 불이행

사업자는 부가가치세법 제18조 및 제19조에 의하여 해당 과세기간의 과세표준과 납부세액을 신고해야 한다. 하지만 법원의 허가기간이 부가가치세법 제18조와 제19조의 기간과 동일하다면 사업자등록이 없는 상태에서 해당 신고의무를 이행할 수 없다.

⑧ 부가가치세법상 폐업신고의무 불이행

사업자가 휴업 또는 폐업, 사업을 개시하지 아니한 경우에는 부가가치세법 시행령 제10조에 의하여 지체 없이 폐업신고를 해야 한다.

※ 부가가치세법 시행령 제10조(휴업·폐업의 신고)

제13조(휴업·폐업의 신고)
법 제8조 제1항 본문 및 같은 조 제3항부터 제6항까지의 규정에 따라 사업자등록을 한 사업자가 휴업 또는 폐업을 하거나 법 제8조 제1항 단서 및 같은 조 제6항에 따라 사업자등록을 한 자가 사실상 사업을 시작하지 아니하게 될 때에는 법 제8조 제7항에 따라 지체 없이 다음 각 호의 사항을 적은 휴업(폐업)신고서를 세무서장(관할 세무서장 또는 그 밖의 세무서장 중 어느 한 세무서장을 말한다)에게 제출(국세정보통신망에 의한 제출을 포함한다)하여야 한다. 〈개정 2019. 2. 12.〉
1. 사업자의 인적사항
2. 휴업 연월일 또는 폐업 연월일과 그 사유
3. 그 밖의 참고 사항

⑨ 부가가치세법상 납세의무 불이행

사업자는 폐업하는 경우에는 부가가치세법 제19조에 의하여 폐업일이 속하는 달의 다음 달 25일까지 각 과세기간에 대한 과세표준과 납부세액을 신고하여야 한다.

법원의 인가가 나오지 아니하거나 사업을 하지 아니한 경우 사업자는 변경사항을 신고하도록 되어 있으며, 관할 세무서장은 직권으로 사업자등록말소까지 할 수 있다.

※ 부가가치세법 시행령

제15조(등록말소)
① 법 제8조 제8항에 따라 등록을 말소하는 경우 관할 세무서장은 지체 없이 등록증을 회수하여야 하며, 등록증을 회수할 수 없는 경우에는 등록말소 사실을 공시하여야 한다.
② 법 제8조 제8항 제2호에 따른 사실상 사업을 시작하지 아니하게 되는 경우는 다음 각 호의 어느 하나에 해당하는 경우로 한다.

1. 사업자가 사업자등록을 한 후 정당한 사유 없이 6개월 이상 사업을 시작하지 아니하는 경우
2. 사업자가 부도발생, 고액체납 등으로 도산하여 소재 불명인 경우
3. 사업자가 인가·허가의 취소 또는 그 밖의 사유로 사업을 수행할 수 없어 사실상 폐업상태에 있는 경우
4. 사업자가 정당한 사유 없이 계속하여 둘 이상의 과세기간에 걸쳐 부가가치세를 신고하지 아니하고 사실상 폐업상태에 있는 경우
5. 그 밖에 사업자가 제1호부터 제4호까지의 규정과 유사한 사유로 사실상 사업을 시작하지 아니하는 경우

10) 정관작성 및 공증

- 현물출자가액과 신설되는 자본금이 결정되면 발기인들은 지체 없이 정관을 작성하여야 한다.

※ 제289조(정관의 작성, 절대적 기재사항)

① 발기인은 정관을 작성하여 다음의 사항을 적고 각 발기인이 기명날인 또는 서명하여야 한다.

1. 목적
2. 상호
3. 회사가 발행할 주식의 총수
4. 액면주식을 발행하는 경우 1주의 금액
5. 회사의 설립 시에 발행하는 주식의 총수
6. 본점의 소재지
7. 회사가 공고를 하는 방법
8. 발기인의 성명·주민등록번호 및 주소
9. ③ 회사의 공고는 관보 또는 시사에 관한 사항을 게재하는 일간신문에 하여야 한다. 다만, 회사는 그 공고를 정관으로 정하는 바에 따라 전자적 방법으로 할 수 있다.
   ④ 회사는 제3항에 따라 전자적 방법으로 공고할 경우 대통령령으로 정하는 기간까지 계속 공고하고, 재무제표를 전자적 방법으로 공고할 경우에는 제450조에서 정한 기간까지 계속 공고하여야 한다. 다만, 공고기간 이후에도 누구나 그 내용을 열람할 수 있도록 하여야 한다.
   ⑤ 회사가 전자적 방법으로 공고를 할 경우에는 게시 기간과 게시 내용에 대하여 증명하여야 한다.
   ⑥ 회사의 전자적 방법으로 하는 공고에 관하여 필요한 사항은 대통령령으로 정한다.

11) 주식회사 실체구성

① 주식발행사항의 결정

가. 자본금 총액

주식회사의 총자본금을 어느 정도로 할 것인지를 정한다. 이는 회사의 목적사업 및 자금조달 능력 기타 주식발행 등과 연관되어 결정된다. 주식회사의 자본은 총 발행주식수에 액면금액을 곱한 금액이기 때문에(총 발행주식수 × 액면금액) 회사 설립 시에 발행하는 주식 총수에 액면금액을 곱한 금액이 회사 설립 시의 자본금 총액이 된다. 주식회사의 자본금을 구성하는 출자의 내용에는 재산출자(금전출자, 현물출자)로 한정되어 있고 신용출자 또는 노무출자는 허용되지 않는다.

나. 1주당 액면금액

1주당 액면금액은 하나의 주식에 대한 가액을 의미한다. 상법에 의하여 1주의 금액은 균일하여야 하며 100원 이상으로 하여야 한다. 그러므로 1주의 금액은 100원, 1,000원, 5,000원, 10,000원 등으로 회사의 실정에 맞게 결정할 수 있으며 통상적으로 1주에 5,000원 또는 10,000원으로 한다. 이렇게 주식의 액면금액이 결정되면 설립 시 발행할 주식수와 발행할 주식의 총수 등이 자동으로 산정된다.

다. 자본금 납입일

자본금 납입일은 주금 납입일을 의미하고 최종 주금 납입일을 기재한다. 발기인과 제3자의 주식인수인은 인수한 주식에 대한 주금을 일정한 기간 내에 전액 납입하여야 한다. 이때 발기인 또는 회사와의 채권 및 채무와 상계하는 것은 금지된다.

라. 자본금 납입 은행

자본금, 즉 주금의 납입은 지정된 금융기관에 납입하여야 하기 때문에 주금을 납입받을 은행 등을 기재한다. 발기인은 주금을 금융기관에 납입시키고 주금납입은행으로부터 '주금납입보관증명서'를 교부받아 설립등기신청 시에 이를 첨부하게 된다. 주금을 납입할 금융기관은 발기인이 정하여 주식청약서에 기재하면 되고, 그 이외에 특별한 제한은 없으며 발기인 이외의 주식인수인도 주금납입은 행에 주금을 납입하여야 한다.

실무상 회사의 영업장소 인근에 있는 은행 중 법인설립등기 후 법인통장을 개설하여 거래할 은행으로 정하는 것이 편리하다.

② 주식총수의 인수

회사가 설립 시에 발행하는 주식의 총수 및 1주의 금액은 정관에서 정하여야 하는 절대적 기재사항이지만, 그 외에 주식발행 사항과 관련하여 정관에 특별히 규정되어 있지 않는 경우에는 발기인 전원의 동의에 따라 주식의 종류와 수 그리고 액면 이상으로 발행하는 경우에는 그 수와 금액을 정한다.

주식회사 설립에 관여한 발기인은 적어도 1주 이상의 주식을 서면으로 인수한다. 발기인이 회사설립 시에 발행하는 주식 전부를 인수하게 되면 발기설립의 형태가 된다.

발기인은 서면에 의하여 1주 이상의 주식을 인수하여야 하기 때문에 설립등기 시에는 주식의 인수를 증명하는 서면을 첨부하여야 하는데, 발기인이 기명날인한 주식인수증이 여기에 해당하는 서면이다. 현물출자의 경우 발기인이 인수한 주식수가 기재된 정관도 이에 해당하는 서면으로 볼 수 있다.

③ 출자의 이행

발기인이 회사의 설립 시에 발행하는 주식의 총수를 인수한 때에는 지체 없이 각 주식에 대하여 그 인수가액의 전액을 납입하여야 한다. 이 경우 발기인은 납입을 맡을 은행 기타 금융기관과 납입장소를 지정하여야 한다.

또한 현물출자를 하는 발기인은 납입기일에 지체 없이 출자의 목적인 재산을 인도하고 등기, 등록 기타 권리의 설정 또는 이전을 요할 경우에는 이에 관한 서류를 완비하여 교부하여야 한다.

④ 이사와 감사의 선임

- 이사와 감사는 취임 후 지체 없이 회사의 설립에 관한 모든 사항이 법령 또는 정관의 규정에 위반되지 아니하는지의 여부를 조사하여 발기인에게 보고하여야 한다.
- 이사와 감사 중 발기인이었던 자·현물출자자 또는 회사성립 후 양수할 재산의 계약당사자인 자는 조사·보고에 참가하지 못한다.
- 이사와 감사의 전원이 제2항에 해당하는 때에는 이사는 공증인으로 하여금 제1항의 조사·보고를 하게 하여야 한다.

12) 검사인 선임 신청 및 조사

정관으로 변태설립사항을 정한 때에는 이사는 이에 관한 조사를 하게 하기 위하여 검사인의 선임을 법원에 청구하여야 한다.

다만, 현물출자하는 경우 현물출자를 하는 자의 성명과 그 목적인 재산의 종류, 수량, 가격과 이에 대하여 부여할 주식의 종류와 수 그리고 회사성립 후에 양수할 것을 약정한 재산의 종류, 수량, 가격과 그 양도인의 성명과 현물출자의 이행에 관하여는 공인된 감정인의 감정으로 검사인의 조사에 갈음할 수 있다. 이 경우 공증인 또는 감정인은 조사 또는 감정결과를 법원에 보고하여야 한다.

13) 법인설립등기

발기설립의 경우 검사인의 조사, 보고와 법원의 절차가 종료된 때로부터 2주간 내에 등기하여야 하고, 모집설립의 경우 창립총회가 종결된 날 또는 변태설립사항의 변경절차가 종료된 때로부터 2주간에 설립등기를 한다.

14) 명의이전 등 사후일정

① 부동산의 소유권이전

토지, 건물 등 부동산의 소유권을 이전 등기하여야 하고, 이는 사업자소재지 관할법원 소속 등기소에 신청하여야 한다. 부동산 취득 시 발생하는 취득세는 면제되지만, 면제되는 취득세의 20%는 농어촌특별세로 납부해야 한다. 또한 국민주택채권 매입면제신청서를 제출해야 하는데, 소유권이전과 관련된 일련의 절차들은 법무사를 통해서 진행된다.

② 차량, 기계장치 등 명의이전

차량의 명의이전과 등록건설기계 명의를 변경해야 한다. 차량은 자동차등록사업소에서 신청하고, 건설기계는 군청 또는 구청에 신청한다.

③ 금융기관 예금, 차입금의 명의변경

예금과 차입금의 명의를 변경하여야 하고, 차입금과 관련 저당권 설정된 부동산의 채무자 명의변경을 병행해야 한다.

④ 법인전환안내문 발송

개인사업자에서 법인사업자로 전환되면 기존거래처들에게 법인사업자 변경에 대한 내용을 전달해야 한다. 법인으로 전환되게 되면 사업자등록번호가 새로이 부여되므로, 기존 거래업체에서 착오로 개인사업자등록번호로 세금계산서를 처리하는 일이 발생하지 않도록 해야 한다.

법인전환안내문

사업자변경(법인전환) 안내문

거래처 관계자 귀하

귀사의 무궁한 발전을 기원합니다.

당사의 사세확장을 통하여 아래와 같이 법인전환사업자로 변경되었습니다.

모두가 업체 여러분의 아낌없는 협력과 도움에 따른 것이라 사료되며 진심으로 감사의 뜻을 전합니다.

당사는 법인전환을 계기로 임직원 모두가 새로운 마음가짐으로 정진할 각오입니다.

앞으로도 많은 관심과 지도편달 부탁드립니다.

- 아 래 -

1. 변경된 사업자정보
   - 사업자등록번호:
   - 법인명:
   - 대표자:
   - 소재지:
   - 변경일:

2. 변경된 계좌정보
   - 은행명:
   - 계좌번호:
   - 예금주:

3. 법인전환으로 인하여 사업자정보와 계좌정보만 변경된 것임을 알려드립니다.
   (회사주소, 대표자 및 부서별 담당자 등은 변경된 사항이 없음)

4. 첨부서류
   - 사업자등록증 사본 1부
   - 통장사본 1부

5. 이외에 다른 서류가 필요하신 업체의 경우 아래의 연락처로 요청 부탁드립니다.
   - 담당자:
   - 연락처:

주식회사 ○○○○

⑤ 공장등록변경

법인전환에 공장이 포함되면 공장등록의 명의를 변경하여야 하고, 공장소재지의 시·군·구청에 신청을 하여야 한다.

⑥ 토지거래의 허가

법인전환되는 토지가 토지거래 허가구역인 경우 관할지역의 시장, 군수, 구청장에게 허가를 신청해야 한다.

⑦ 감가상각방법, 재고자산평가방법의 신고

영업개시 사업연도의 과세표준 신고기한 내에 법인신설 시 소관세무서장에게 신고를 해야 한다.

⑧ 양도소득세 신고·납부와 이월과세 적용신청서 제출

양도소득세 이월과세 적용신청의 경우에도 양도소득세 신고는 하여야 한다. 이월과세 적용신청서를 제출하지 않으면 이월공제가 안 될 수 있으니 주의해야 한다. "양도"란 자산에 대한 등기 또는 등록에 관계없이 매도, 교환, 현물출자 등으로 인하여 그 자산이 유상으로 사실상 이전되는 것을 말하는 것이며, 거주자가 공동사업을 경영할 것을 약정하는 계약에 의해 토지 등을 공동사업에 현물출자하는 경우 「소득세법」 제88조 제1항의 규정에 의하여 등기여부에 관계없이 현물출자한 날 또는 등기접수일 중 빠른 날에 당해 부동산이 유상으로 양도된 것으로 보아 양도소득세가 과세된다.

⑨ 취득세 신고와 면제신청

토지, 건물, 차량 등 취득세 과세대상 자산의 취득세는 신고하여야 하고, 면제대상인 경우 관할 시·군·구청에 문의해야 한다. 취득세 신고기한은 취득일로부터 60일 이내에 신고·납부해야 한다.

⑩ 법인설립신고와 사업등록신청서류 보완

법인설립등기에 따른 법인설립신고를 이행해야 하고, 사업자등록 시 미제출한 법인등기부등본 등을 제출하여야 한다.

(7) 예규 및 판례

1) 거주자 2인 이상이 현물출자로 법인전환 시 양도소득세 이월과세 적용 여부

[요 지]
거주자인 부부가 각각 영위하던 개인기업의 사업장별로 현물출자하여 법인전환한 경우 당해 사업용 고정자산에 대하여 「조세특례제한법」 제32조에 의한 양도소득세 이월과세를 적용받을 수 있는 것이며, 이때 거주자 1인이 2 이상의 사업장을 가진 경우에는 각각의 사업장별로 적용하는 것임.

[회 신]
귀 서면질의의 경우, 거주자인 부부가 각각 영위하던 개인기업의 사업장별 사업용 고정자산의 전부를 현물출자하여 법인으로 전환하는 경우 당해 사업용 고정자산에 대하여 「조세특례제한법」 제32조에 의한 양도소득세 이월과세를 적용받을 수 있는 것이며, 이때 거주자 1인이 2 이상의 사업장을 가진 경우에는 각각의 사업장별로 적용하는 것입니다.

2) 부동산의 일부만 현물출자하는 경우

「조세특례제한법」 제32조에 따른 법인전환에 대한 양도소득세의 이월과세를 적용할 때 거주자가 사업용 고정자산의 일부만을 현물출자하여 법인으로 전환하는 경우에는 동 규정을 적용받을 수 없는 것임(부동산거래 - 482, 2012. 9. 11.).

3) 배우자로부터 증여받은 후 5년 이내 법인전환하는 경우 이월과세 적용 여부

[요 지]
거주자가 사업에 직접 사용하는 사업용 고정자산을 배우자로부터 증여받고 증여받은 날로부터 5년 이내 조특령 제29조 제2항에 따른 사업양도·양수의 방법에 따라 법인전환 시 해당 사업용 고정자산의 양도차익을 산정할 때 양도가액에서 공제할 필요경비 계산방법은 「소득세법」 제97조의2를 적용, 이 경우 해당 사업용 고정자산에 대해서는 조특법 제32조 적용 가능

[회 신]
거주자가 사업에 직접 사용하는 사업용 고정자산을 배우자로부터 증여받고 증여받은 날로부터 5년 이내 「조세특례제한법 시행령」 제29조 제2항에 따른 사업양도·양수의 방법에 따라 법인으로 전환하는 경우 해당 사업용 고정자산의 양도차익을 산정할 때 양도가액에서 공제할

필요경비 계산방법은 「소득세법」(2014. 1. 1. 법률 제12169호로 개정된 것) 제97조의2를 적용하는 것이며, 이 경우 해당 사업용 고정자산에 대해서는 「조세특례제한법」 제32조에 따른 법인전환에 대한 양도소득세 이월과세를 적용받을 수 있는 것입니다.

4) 개인사업 법인전환 시 현물출자한 사업용 고정자산에 대한 양도소득세를 과소 신고한 경우 조특법 제32조의 이월과세 적용 가능

[요 지]

청구인의 개인사업 법인전환에 따른 쟁점부동산 현물출자는 이월과세 적용요건을 충족하고, 법정기한 내 이월과세 적용신청서도 제출한 점 등을 종합할 때, 처분청이 이월과세 적용을 배제하여 과세한 이 건 처분은 잘못임.

[관련법령]

조세특례제한법 제32조 조심2009광3468 / 국심2005중3473 / 국심2004전2754

5) 건축물이 없는 토지는 법인전환 이월과세 적용되지 않음

법인전환 이월과세는 사업용 고정자산에 대하여 적용되는 것이나, 건축물이 없는 토지만을 현물출자하는 경우에는 법인전환 이월과세를 적용받을 수 없다.

◆ 부동산거래-413, 2011. 5. 20.

제목

건축물이 없는 토지를 임대한 임대업자가 임대용으로 사용하던 해당 토지를 현물출자 또는 사업 양도·양수의 방법에 따라 법인으로 전환하는 경우 해당 토지는 양도세 이월과세를 적용받을 수 없는 것임.

6) 개인사업자 폐업 후 법인등기 전 법인전환 포기한 경우 법인세 납세의무 여부

[요 지]

개인사업자가 사업용 고정자산을 현물출자하여 법인으로 전환할 목적으로 법인설립등기 전에 법인사업자등록을 하였으나, 이후 현물출자 미이행으로 법인설립이 되지 않아 등록한 법

인사업장을 폐업한 경우 폐업한 법인사업자는 「법인세법」에 따른 납세의무자에 해당하지 않는 것임.

[회 신]

상행위 기타 영리를 목적으로 하여 설립되는 법인은 「상법」 제172조에 따라 본점소재지에서 설립등기를 함으로써 성립되는 것으로, 개인사업자가 사업용 고정자산을 현물출자하여 법인으로 전환할 목적으로 「부가가치세법」 제5조 제1항 단서에 따라 법인설립등기 전에 법인사업자등록을 하였으나, 이후 현물출자 미이행으로 법인설립이 되지 않아 등록한 법인사업장을 폐업한 경우 폐업한 법인사업자는 「법인세법」에 따른 납세의무자에 해당하지 않는 것임.

[부가가치세 분야]

부가가치세법 제5조 제1항 단서에 "신규로 사업을 시작하려는 자는 사업개시일 전이라도 사업자등록을 할 수 있다"라고 규정하고 있고, 부가가치세법 시행령 제7조 제2항 단서에 "부가가치세법 제5조 제1항 단서의 경우에 해당 법인의 설립등기 전 또는 사업의 허가·등록이나 신고 전에 등록을 하는 때에는 법인설립을 위한 사업허가신청서 사본, 사업등록신청서 사본, 사업신고서 사본이나 사업계획서로 법인등기부등본 등에 갈음할 수 있다"라고 규정하고 있으므로 법인설립등기 전이라도 사업자등록을 신청하여 사업자등록번호를 부여받을 수 있다.

[법인세 분야]

아래 회신사례와 같이 현물출자로 법인전환하는 경우에도 내국법인이 법인설립등기일 전에 생긴 손익을 사실상 그 법인에 귀속시킨 것이 있는 경우 조세포탈의 우려가 없을 때에는 최초사업연도의 기간이 1년을 초과하지 아니하는 범위 내에서 이를 당해 법인의 최초사업연도의 손익에 산입할 수 있다.

*참고사례(서이46012-10453, 2001. 11. 1.)

제목

내국법인이 법인설립등기일 전에 생긴 손익을 사실상 귀속시킨 경우, 최초사업연도의 손익에 산입하는 요건 및 이 경우 최초사업연도의 개시일

질의

(상황)

1. 당사는 인쇄회로기판을 제조하는 회사로서 개인사업을 영위하다가 개인사업용 자산·부채를 포괄양도하기로 계약한 후 1999. 12. 31.자로 개인사업을 폐업하고, 현물출자기준일인 2000. 1. 1.자로

법인사업자등록을 교부받아 계속 사업을 하고 있음.

2. 현물출자에 의한 법인전환의 경우 감정평가, 공인회계사, 감사 등으로 인하여 2000. 3. 14.자로 법인등기를 하였음.
3. 2000. 1. 1. 사업자등록증 교부 당시 법인등록번호를 기재하지 않은 상태의 사업자등록증을 교부받아 사업을 하다가 법인등기 완료 후 법인등록번호를 기재한 사업자등록증을 재교부받았음.

(질의)

당사의 경우 사업연도 개시일을 언제로 해야 하는지(법인설립등기일 - 2000. 3. 14., 실질적인 사업개시일 - 2000. 1. 1.)

회신

내국법인이 법인설립등기일 전에 생긴 손익을 사실상 그 법인에 귀속시킨 것이 있는 경우 조세포탈의 우려가 없을 때에는 최초사업연도의 기간이 1년을 초과하지 아니하는 범위 내에서 이를 당해 법인의 최초사업연도의 손익에 산입할 수 있는 것이며, 이 경우 최초사업연도의 개시일은 당해 법인에 귀속시킨 손익이 최초로 발생한 날로 하는 것임.

7) 비거주자와 공동 소유하는 사업용 고정자산을 현물출자하여 법인전환하는 경우 이월과세

[요 지]

공동사업자인 거주자와 비거주자가 공동으로 소유하는 사업용 고정자산을 「조세특례제한법」 제32조에 따라 현물출자하여 법인으로 전환하는 경우에는 거주자의 지분에 한하여 이월과세를 적용받을 수 있는 것임.

[회 신]

1. 공동사업자인 거주자와 비거주자가 공동으로 소유하는 사업용 고정자산을 「조세특례제한법」 제32조에 따라 현물출자하여 법인으로 전환하는 경우에는 거주자의 지분에 한하여 이월과세를 적용받을 수 있는 것입니다.
2. 귀하의 질의 1-2 및 2는 붙임 해석사례 서면인터넷방문상담4팀-1859호(2005. 10. 12.) 및 재산세과-1713호(2009. 8. 18.)를 참고하시기 바랍니다.

[관련법령]

조세특례제한법 제32조【법인전환에 대한 양도소득세의 이월과세】

조세특례제한법 시행령 제29조【법인전환에 대한 양도소득세의 이월과세】

8) 건축물이 없는 토지를 임대한 임대업자가 임대용으로 사용하던 해당 토지를 현물출자 또는 사업 양도·양수의 방법에 따라 법인으로 전환하는 경우 해당 토지는 양도세 이월과세를 적용받을 수 있는지 여부

[질 의]

(사실관계)

○ 甲은 주차장업자에게 임대하는 토지(나대지)를 건물신축판매업 법인 신설 후 현물출자 또는 사업 양도·양수의 방법에 따라 법인전환할 예정임.

- 1988년 9월 부천시 원미구 심곡동 소재 A토지 취득
- 2001년 A토지에 대한 부동산 임대업(토지 임대) 사업자등록
- 2003년 2월 부천시 원미구 심곡동 소재 B토지 취득
- 2009년 1월 A토지와 B토지를 C토지로 합필
- 2010년 3월 C토지로 부동산 임대업 변경 등록 및 건물신축판매업종 추가

(질의내용)

질의1) 건축물이 없는 토지를 현물출자하여 건물신축판매업으로 법인전환하는 경우 사업용 고정자산으로 인정받아 양도소득세 이월과세를 적용받을 수 있는지 여부

질의2) 건축물이 없는 토지를 사업 양도·양수의 방법에 따라 2012년 12월 31일까지 법인전환하는 경우 사업용 고정자산으로 인정받아 양도소득세 이월과세를 적용받을 수 있는지 여부

[회 신]

귀 질의의 경우 건축물이 없는 토지를 임대한 임대업자가 임대용으로 사용하던 해당 토지를 현물출자 또는 사업 양도·양수의 방법에 따라 법인으로 전환하는 경우 해당 토지는 「조세특례제한법」 제32조를 적용받을 수 없는 것임.

9) 사업장의 일부 업종만 법인으로 전환하는 경우

[요 지]

「조세특례제한법」 제32조에 따른 법인전환에 대한 양도소득세 이월과세는 사업장별로 적용하는 것으로서 해당 사업장의 일부 업종은 법인으로 전환하고 일부 업종은 개인사업으로 계속 영위하는 경우에는 동 규정을 적용할 수 없는 것임.

[회 신]
「조세특례제한법」 제32조에 따른 법인전환에 대한 양도소득세 이월과세는 사업장별로 적용하는 것으로서 해당 사업장의 일부 업종은 법인으로 전환하고 일부 업종은 개인사업으로 계속 영위하는 경우에는 동 규정을 적용할 수 없는 것입니다.

10) 법인전환에 대한 양도소득세 이월과세 신청기한

[요 지]
양도소득세 이월과세의 적용은 현물출자 또는 사업 양수도를 한 날이 속하는 과세연도의 과세표준신고(예정신고 포함) 시 새로이 설립되는 법인과 함께 이월과세 적용신청서를 납세지 관할 세무서장에게 제출한 경우에 한함.

[회 신]
귀 질의의 경우 「조세특례제한법」 제32조 제1항의 규정에 의하여 양도소득세 이월과세를 적용받고자 하는 자는 현물출자 또는 사업 양수도를 한 날이 속하는 과세연도의 과세표준신고(예정신고 포함) 시 새로이 설립되는 법인과 함께 이월과세 적용신청서를 납세지 관할 세무서장에게 제출한 경우에 한하여 위 규정에 따른 양도소득세의 이월과세를 적용받을 수 있다.

11) 순자산가액 계산 시 부채의 범위

[요 지]
전환하는 사업장의 순자산가액은 현물출자일 현재의 시가로 평가한 자산의 합계액에서 충당금을 포함한 부채의 합계액을 공제하여 계산하는 것이고, 이 경우 공제대상 부채는 당해 사업과 관련하여 발생된 부채를 말하는 것임.

[회 신]
귀 질의의 경우 기존 해석사례(재산세과-1888, 2008. 7. 24., 재산세과-1713, 2009. 8. 18. 등)를 참고하시기 바랍니다.

○ 재산세과-1713, 2009. 8. 18.
1. 「조세특례제한법」 제32조 및 같은 법 시행령 제29조의 규정을 적용함에 있어 거주자가

사업용 고정자산을 현물출자하여 법인으로 전환하는 사업장의 순자산가액은 현물출자일 현재의 시가로 평가한 자산의 합계액에서 충당금을 포함한 부채의 합계액을 공제하여 계산하는 것이고, 이 경우 공제대상 부채는 당해 사업과 관련하여 발생된 부채를 말하는 것임.

2. '당해 사업과 관련하여 발생된 부채'라 함은 귀 질의의 경우 출자를 위한 차입금 외에 당해 공동사업을 위하여 차입한 차입금을 말하는 것으로 그 차입금이 출자를 위한 차입금인지 아니면 공동사업장의 사업을 위한 차입금인지 여부는 공동사업 구성원 간에 정한 동업계약의 내용 및 출자금의 실제 사용내역 등에 따라 판단하는 것임.

12) 포괄현물출자로 인한 양도소득세 신고방법 및 기한

1. 사실관계〈구체적으로 기재〉
   개인사업자를 2014년 6월 30일자로 [사업의 포괄현물출자 법인전환계약서]에 의한 법인을 설립하였으며, 대표이사는 동일인입니다.
   개인사업장은 용인이어서 부가세 등 신고는 용인으로 하며, 개인 주소지가 성남에 위치하여 종합소득세신고를 성남으로 하고 있습니다.
   이월과세신고를 위해서 양도소득세를 신고하여야 한다는 말을 들었습니다.

2. 질의사항
   가. 포괄현물출자 시 양도세 신고기한과 어느 세무서에 신고하여야 하나요?
   나. 포괄현물출자 양도세 신고 시 제출서류는 무엇인가요?

가. 양도소득세 예정신고기한은 양도일(현물출자일)의 말일부터 2개월 이내이며, 양도소득세 과세표준신고 및 이월과세적용신청은 주민등록상 주소지 관할 세무서인 성남세무서로 하시기 바랍니다.

   만일, 예정신고 시에 이월과세적용신청을 하지 아니하였더라도 확정 신고기한(2015년 5월 말)까지 이월과세적용신청서를 제출한 경우에는 양도소득세 이월과세적용이 가능함을 참고하여 주시기 바랍니다.

나. 조세특례제한법 시행령 제29조 제4항에서 "법인전환에 따른 양도소득세 이월과세를 적용받고자 하는 자는 현물출자일이 속하는 과세연도의 과세표준신고(예정신고를 포함한다) 시 새로이 설립되는

법인과 함께 이월과세적용신청서(첨부 서식)를 납세지 관할 세무서장에게 제출하여야 한다."라고 규정하고 있습니다.

따라서 양도소득세 신고 서식에 매매계약서(취득, 양도), 취·등록세 및 중개사 비용 영수증(사본), 양도비용 영수증(사본) 등 등기부등본과 이월과세적용신청서(첨부 서식)를 첨부하시어 신고하시기 바랍니다.

■ 양도신고서 서식
① 양도소득과세표준 신고 및 납부계산서(제84호)
② 양도소득세 간편 신고서(소명자료 제출서)(별지 제84호의4)
③ 양도소득금액 계산명세서(제84호 부표1)
④ 주식 등 양도소득금액 계산명세서(제84호 부표2)
⑤ 취득가액 및 필요경비계산 상세 명세서(제84호 부표3)

13) 현물출자에 의한 법인전환 시 양도소득세 문제

1. 사실관계〈구체적으로 기재〉
당사는 학원업 및 출판업을 영위하는 개인기업으로 현물출자를 통한 법인전환을 추진 중에 있습니다. 현물출자를 통해 법인전환을 진행하는 관계로 법원이 선임한 검사인의 검사 등의 절차를 거쳐 법인등기까지는 약 2개월가량이 소요될 예정입니다.

다만, 법인등기가 완료되지 않은 관계로 일부 금융기관에서 법인명의 계좌가 개설되지 않고, 신용카드 가맹점 가입이 되지 않는 등의 어려움이 있어 법인전환일 이후 법인등기 완료 시까지 개인사업자 명의로 매출 등의 거래를 진행하고, 회계 및 세무상으로 동 거래를 법인에 귀속시킬 예정입니다.

2. 질의사항
위와 같이 현물출자 후 법인 등기 시까지 개인사업자 명의로 거래를 하고, 이를 법인에 귀속시킨 후에 개인사업자를 폐업하는 경우 「조세특례제한법」 제32조의 기타 양도소득세 이월과세 적용에 영향이 없는지요? 〈사업의 계속성 및 순자산 이상 출자 요건 등은 충족한다고 가정할 경우〉

1. 조세특례제한법 제32조에 따른 양도소득세 이월과세는 아래의 각 호의 어느 하나의 방법으로 법인(대통령령으로 정하는 소비성 서비스업을 경영하는 법인은 제외한다)으로 전환하는 경우로서 새로 설립되는 법인의 자본금이 전환하는 사업장의 순자산가액 이상인 경우에 사업용 고정자산에 대하여 적용받을 수 있는 것입니다.

1) 거주자가 사업용 고정자산을 현물출자 방식으로 법인전환하는 경우
2) 당해 사업을 영위하던 자가 발기인이 되어 그 법인 설립일부터 3월 이내에 당해 법인에게 사업에 관한 모든 권리와 의무를 포괄적으로 양도하는 사업양수도 방법에 의하여 법인전환하는 경우

2. 귀 상담의 경우 조세특례제한법 제32조 법인전환 이월과세 요건은 충족하나, 부득이 현물출자 후 법인등기 시까지 개인사업자 명의로 거래하고 법인으로 귀속시키는 경우에도 이월과세 적용은 가능한 것으로 보여지나, 귀 사례에 대한 기 예규 해석사례는 없으므로 아래 주소지로 서면 질의하여 답변을 받아보시기 바랍니다.

14) 법인전환 과정 중에 세금계산서 발행

개인사업자의 현물출자에 의한 법인전환의 경우 일반적으로 개인사업자의 폐업신고기한은 법인전환 기준일이 속하는 달의 다음 달 25일이 원칙이지만 한전 등과 같은 거래처 또는 법규상의 문제로 인하여 부득이 법인등기부등본이 나온(법인설립등기) 후 법인사업자등록이 변경될 때까지(사업자등록증에 법인등록번호가 기재될 때까지)는 개인사업자의 폐업신고기한을 최대한 늦추어 개인사업자로 교부받은 세금계산서 범위 내에서 다시 법인사업자에게 세금계산서를 교부하여야 하는 것으로 이해되는데 제가 올바로 이해하고 있는 것인지요?

건설업을 영위하다가 법인으로 전환하는 경우 법인설립등기까지의 기간에다 면허양도양수절차가 완료되기까지 기간이 더해져 4개월 정도의 시간이 소요되는 것이 일반적입니다.
이와 같이 법인전환 과정(법인전환기준일부터 건설업면허양수일까지)에 4개월여의 기간이 소요되는 상황에서도 건설공사는 계속 진행할 수 밖에 없으며, 동 건설용역에 대한 세금계산서는 건설업면허권자인 개인사업자로 교부할 수밖에 없는 것이 현실입니다.

아래 사례(부가가치세과-367, 2013. 4. 30.)에 비춰볼 때 당초 법인설립등기 후 한전과 계약자변경을 한 후 법인 명의로 소급하여 수정세금계산서를 교부받아 경정 청구하는 방식으로 매입세액을 공제받는 것이 적정한 것으로 판단되며, 이 경우 공급시기가 속하는 과세기간을 경과하여 교부받은 수정세금계산서도 매입세액공제가 가능한 것으로 판단됩니다.

아래 사례(부가가치세과-1620, 2011. 12. 23.)에 비춰볼 때 법인전환 기준일에 개인사업자의 건설업에 관한 모든 권리와 의무가 사실상 법인에게 현물출자되었다면 법인의 법인설립등기 여부에 상관없이 법인전환 기준일까지 공급시기가 도래한 분은 개인사업자 명의로 세금계산서를 수수하여야 할 것이며, 법인전환일 이후에 공급시기가 도래하는 분은 법인 명의로 세금계산서를 수수하여야 할 것으로 판단됩니다.

※ 부가가치세과 - 1620, 2011. 12. 23.

[질의내용]

법인전환하고자 하는데 법인등기가 안 나온 상태에서 법인사업자등록을 교부받은 후 법인등기가 나오기 전 법인전환을 포기하고자 하는 경우 세금계산서 발급행위가 적법한지 여부

1. 사실관계

- 개인사업자가 2011. 9. 30.자로 현물출자에 의한 법인전환을 하기로 하고 2011. 9. 8.에 현물출자계약서를 작성하여 2011년 9월 초 법인사업자등록증(법인등기는 되어 있지 않음)을 교부받고 2011년 9월 말일자로 2011년 1월에 부가가치세 신고와 함께 법인전환에 의한 폐업을 사유로 개인사업자를 폐업함.

- 2011년 10월 1일부터 2011년 11월 현재까지 법인으로 사업을 진행하여 오던 중 개인기업 결산 결과 순자산가액이 음수(-)로 나와 현물출자에 의한 법인전환을 포기하려고 함.

2. 쟁점

상기의 경우 법인사업자등록번호로 발급한 세금계산서 등의 영업행위가 적법한지 여부 등

[요 지]

개인사업자가 법인전환을 위하여 법인설립등기 전 법인사업자로 사업자등록을 신청하여 관할 세무서장으로부터 부여받은 사업자등록번호로 세금계산서를 발급하거나 발급받아 부가가치세를 신고·납부한 경우에는 관할 세무서장으로부터 부여받은 사업자등록번호로 발급하거나 발급받은 세금계산서는 사실과 다른 세금계산서에 해당하지 아니하고 부가가치세 신고·납부의 효력에도 영향이 없는 것임(법인등기 전 사업자등록증이 교부된 경우).

[회 신]

귀 질의의 경우 법인사업자등록번호로 발급한 세금계산서의 사실과 다른 세금계산서 해당 여부와 관련하여서는 기존 유사 해석사례(부가 - 469, 2011. 5. 9.)를 참조하시기 바람.

○ 부가 - 469, 2011. 5. 9.

개인사업자가 법인전환을 위하여 법인설립등기 전 「부가가치세법」 제5조에 따라 법인사업자로 사업자등록을 신청하여 관할 세무서장으로부터 부여받은 사업자등록번호로 같은 법 제16조에 따른 세금계산서를 발급하거나 발급받아 같은 법 제18조 및 제19조에 따라 부가가치세를 신고·납부한 경우에는 관할 세무서장으로부터 부여받은 사업자등록번호로 발급하거나 발급받은 세금계산서는 사실과 다른 세금계산서에 해당하지 아니하고 부가가치세 신고·납부의 효력에도 영향이 없는 것임.

15) 현물출자에 의하여 법인전환하여 양도소득세 이월과세 적용하는 경우 순자산가액의 평가 방법(조특, 기준 - 2016 - 법령해석재산 - 0015[법령해석과 - 1475])

[제 목]

현물출자에 의하여 법인전환하여 양도소득세 이월과세 적용하는 경우 순자산가액의 평가 방법

[요 지]

「조세특례제한법」 제32조에 적용함에 있어 법인으로 전환하는 사업장의 순자산가액의 시가는 법인세법 시행령 제89조 제1항에 해당하는 가격, 같은 조 제2항 제1호의 감정가액, 「상속세 및 증여세법」 제61조 내지 제64조의 규정을 준용하여 평가한 가액의 순서대로 적용하는 것임.

[회 신]

「조세특례제한법」 제32조에 따라 거주자가 사업용 고정자산을 현물출자하여 법인으로 전환하는 경우 그 사업용 고정자산에 대해 이월과세를 적용함에 있어 법인으로 전환하는 사업장의 순자산가액의 시가는 법인세법 시행령 제89조 제1항에 해당하는 가격, 같은 조 제2항 제1호의 감정가액, 「상속세 및 증여세법」 제61조 내지 제64조의 규정을 준용하여 평가한 가액의 순서대로 적용하는 것입니다.

[관련법령] 조세특례제한법 제32조【법인전환에 대한 양도소득세의 이월과세】

법인세법 시행령[2019. 7. 1.] 일부개정

제89조【시가의 범위 등】
① 법 제52조 제2항을 적용할 때 해당 거래와 유사한 상황에서 해당 법인이 특수관계인 외의 불특정다수인과 계속적으로 거래한 가격 또는 특수관계인이 아닌 제3자 간에 일반적으로 거래된 가격이 있는 경우에는 그 가격(주권상장법인이 발행한 주식을 한국거래소에서 거래한 경우 해당 주식의 시가는 그 거래일의 한국거래소 최종시세가액)에 따른다. 〈개정 2007. 2. 28., 2009. 2. 4., 2012. 2. 2.〉
② 법 제52조 제2항을 적용할 때 시가가 불분명한 경우에는 다음 각 호를 차례로 적용하여 계산한 금액에 따른다. 〈개정 2002. 12. 30., 2003. 12. 30., 2005. 2. 19., 2010. 12. 30., 2013. 2. 15., 2014. 2. 21., 2016. 2. 12., 2016. 8. 31., 2017. 2. 3., 2018. 2. 13., 2019. 2. 12.〉

1. 「감정평가 및 감정평가사에 관한 법률」에 따른 감정평가업자가 감정한 가액이 있는 경우 그 가액(감정한 가액이 2 이상인 경우에는 그 감정한 가액의 평균액). 다만, 주식 등은 제외한다.

2. 「상속세 및 증여세법」 제38조·제39조·제39조의2·제39조의3, 제61조부터 제66조까지의 규정 및 「조세특례제한법」 제101조를 준용하여 평가한 가액. 이 경우 「상속세 및 증여세법」 제63조 제1항 제1호 나목 및 같은 법 시행령 제54조에 따라 비상장주식을 평가함에 있어 해당 비상장주식을 발행한 법인이 보유한 주식(주권상장법인이 발행한 주식으로 한정한다)의 평가금액은 평가기준일의 한국거래소 최종시세가액으로 하며, 「상속세 및 증여세법」 제63조 제2항 제1호·제2호 및 같은 법 시행령 제57조 제1항·제2항을 준용할 때 "직전 6개월(증여세가 부과되는 주식 등의 경우에는 3개월로 한다)"은 각각 "직전 6개월"로 본다.

16) 주식회사 발기 설립 시 현물출자에 대한 양도 시기는 주주의 지위를 취득하는 설립등기시기로 보아야 함(양도, 서울행정법원-2017-구합-75774, 2018. 4. 12., 국승, 진행 중)

[전심사건번호] 조심 2017서2374(2017. 7. 17.)

[제 목]

주식회사 발기설립 시 현물출자에 대한 양도시기는 주주의 지위를 취득하는 설립등기시기로 보아야 함.

[요 지]

법인전환에 따른 양도소득세 이월과세를 적용받은 개인사업자가 법인전환으로 취득한 주식을 100분의 50 이상 처분하는 경우, 주식회사 발기설립 시 현물출자에 대한 양도시기는 주주의 지위를 취득하는 설립등기 시기이므로, 원고는 설립등기이전 주식을 증여하여 양도소득세 이월과세 요건을 충족하지 못한 결과가 되어 이를 추징한 피고의 처분은 정당함.

[처분의 경위]

가. 원고는 안산시 단원구 OO동 OOO-OO 토지 및 그 지상 건물(이하 '이 사건 부동산'이라 한다)에서 'bb공업사'와 'bb오토텍'(원고의 아들 전CC가 공동대표였다)이라는 상호의 자동차부품 제조업을 영위하다가 2012. 12. 24. 이 사건 부동산을 현물출자하여 2013. 3. 7. '주식회사 dd'(이하 '이 사건 회사'라 한다)를 설립하였다.

나. 원고는 2013. 1. 31. 구 조세특례제한법(2013. 1. 1. 법률 제11614호로 개정되기 전의 것) 제32조에서 정한 법인전환에 대한 양도소득세 특례규정을 근거로 양도소득세 이월과세 적용신청을 하였다.

한편 조세특례제한법이 2013. 1. 1. 개정되어 제32조 제5항 제2호(이하 '이 사건 조항'이라 한다)로 법인전환에 대한 양도소득세의 이월과세 특례를 적용받은 거주자가 법인의 설립일부터 5년 이내에 법인전환으로 취득한 주식 또는 출자지분의 100분의 50 이상을 처분하는 경우 사유발생일이 속하는 과세연도의 과세표준신고를 할 때 이월과세액을 양도소득세로 납부하여야 한다는 규정이 신설되었고, 위 법률 부칙 제11조 이 사건 조항은 2013년 1월 1일 이후 취득한 주식 또는 출자지분을 처분하는 분부터 적용한다고 규정하였다.

다. 원고는 2012. 12. 30. 현물출자로 인수할 이 사건 회사의 주식 209,823주(총 주식 227,016주 중 92.4%로, 나머지 17,193주는 아들 전CC가 취득하였다) 가운데 198,470주(이하 '쟁점 주식'이라 한다)를 처 정EE(34,052주), 자녀 전CC(62,262주), 전FF(34,052주), 전GG(34,052주), 친족 정HH(34,052주)(이하 '수증자들'이라 한다)에게 증여하는 계약(이하 '이 사건 증여계약'이라 한다)을 수증자들과 체결하고, 2013. 3. 31.경 증여세를 신고·납부하였다.

라. 이 사건 회사는 설립등기 전인 2012. 12. 29. 사업자등록을 마치고, 2012사업연도 법인세 신고서에 수증자들이 쟁점 주식을 증여받은 내역을 반영한 주식변동상황명세서를 첨부하였다.

마. 피고는 2017. 3. 8. 원고에게 쟁점 주식의 처분일은 법인설립등기를 마친 2013. 3. 7.이므로 이 사건 조항에 따라 이월과세 특례를 적용받은 양도소득세를 납부할 의무가 있다는 이유로 2013년 귀속 양도소득세 714,274,040원(가산세 포함)을 결정·고지하였다(이하 '이 사건 처분'이라 한다).

바. 원고는 2017. 3. 31. 이 사건 처분에 불복하여 조세심판원에 심판청구를 제기하였으나 2017. 7. 17. 기각되었다.

17) 법인전환 이월과세 감면 시 사업과 관련이 없는 부채는 순자산가액에서 제외

(양도, 인천지방법원－2017－구합－50069, 2018. 1. 25., 국승, 진행 중)

(양도, 서울고등법원－2018－누－36433, 2018. 10. 19., 국승, 완료)

[전심사건번호] 조심－2015－중－2375(2016. 10. 17.)

[제 목]

법인전환 이월과세 감면 시 사업과 관련이 없는 부채는 순자산가액에서 제외

[요 지]

법인전환 이월과세 감면 신청할 때 사업과 관련이 없는 부채는 순자산가액 산정에서 제외하여야 함.

[판 단]

양도소득세 이월과세의 요건으로 새로 설립되는 법인의 자본금이 법인으로 전환하는 사업장의 순자산가액 이상일 것을 규정한 이유는 개인사업장을 법인으로 전환하여 기업의 조직 형태를 변경하는 것은 실질적으로 동일한 사업주가 사업의 운영 형태만 바꾸는 것에 불과한데 이처럼 실질적으로 동일한 사업주가 사업의 운영 형태만 바꾼 것으로 평가되기 위해서는 사업양수도 대상의 순자산가액이 신설 법인에 그대로 승계되어야 하기 때문으로(대법원 2012. 12. 13. 선고 2012두17865 판결 참조) 위와 같은 이월과세 제도의 취지는 개인기업을 법인기업으로 전환하는 것을 장려하되 그 과정에서 개인사업자가 출자금액을 부당하게 축소시키는 것을 방지하려는 데에 있다(대법원 1994. 11. 18. 선고 93누20160 판결 참조). 따라서 양도소득세 이월과세는 사업장별로 적용하는 것이 타당하고, 그 이월과세 요건인 순자산가액, 즉 '현재의 시가로 평가한 자산의 합계액에서 충당금을 포함한 부채의 합계액을 공제한 금액'을 계산함에 있어서도 그 자산이나 부채는 해당 사업장의 사업과 직접 관련된 자산이나 부채로 한정하는 것이 상당하다.

위 제1항 기재 사실관계 및 변론 전체의 취지에 의하면 원고는 법인전환을 위한 현물출자 하루 전날에 자신 명의로 1,855,000,000원을 대출받아 그 채무를 이 사건 법인에 승계시켰으나, 위 대출금 중 1,846,000,000원(이 사건 부채)을 이 사건 사업장과는 직접 관련이 없는 용도에 사용하였던 것으로 보이므로(원고도 이를 특별히 다투고 있지는 않다), 이 사건 부채는 이 사건 사업과 직접 관련된 부채라고 보기 어렵고, 피고가 이 사건 사업장에 관한 양도소득세 이월과세 요건을 판단함에 있어 이 사건 부채를 순자산가액의 산정에서 제외한 것이 위법하다고 단정하기 어렵다.

5 중소기업통합 법인전환

(1) 개념

기존 설명한 일반양수도에 의한 법인전환, 세 감면 양수도에 의한 법인전환, 현물출자 법인전환에 의한 법인전환은 1개의 개인사업장을 법인사업장으로 법인전환하는 것이었다면 중소기업 통합에 의한 법인전환은 2개 이상의 개인사업자 또는 법인사업자가 하나의 법인으로 통합되는 것이다.

(2) 중소기업 간의 통합 장점과 단점

1) 중소기업 간의 통합 장점

① 절차가 비교적 단순

현물출자 법인전환에 비해서 비교적 절차가 단순하고, 효과는 국민주택채권매입을 한다는 혜택 이외에는 조세감면 혜택이 동일하다.

② 기존 사업장이 2개 이상인 경우

개인과 개인 또는 개인과 법인을 하나의 사업자로 만들면서 양도세 이월과세, 취득세 감면을 받을 수 있으므로 2개 이상의 사업장 통합에 유용하다.

③ 세액감면의 승계

창업중소기업 및 창업벤처중소기업 규정에 따라 세액감면을 받는 내국인이 감면기간이 지나기 전에 법인전환을 하는 경우 남은 감면기간에 감면을 승계받을 수 있다.

수도권과밀억제권역 밖으로 이전하는 중소기업, 농업회사 법인이 감면기간이 지나기 전에 법인전환을 하는 경우 남은 감면기간에 대하여 감면을 승계받을 수 있다.

2) 중소기업 간의 통합 단점

① 법인사업자는 1년 이상 운영이 되었어야 함

사업자 통합에 있어서 한쪽이 법인사업자라면, 법인사업자는 최소 운영기간의 요건이 필요하다.

② 금융부채의 승계

부동산이 있는 경우 진행되기 때문에 부동산에 대한 평가와 금융기관과 협의하여 금융부채의 승계에 대해서 승인을 받아야 한다.

(3) 조세감면 요건

1) 법인전환 당사자는 거주자

법인으로 전환하는 개인기업주는 해당 사업을 영위하는 국내에 주소를 두거나 1년 이상 거소를 둔 개인이어야 한다. 비거주자는 조세혜택을 받을 수 없다. 단, 소비성 서비스업은 제외한다. 2006년 1월 1일 이후로 개인사업자가 법인설립일로부터 1년 이상 당해 사업을 영위해야 한다는 요건은 폐지되었다.

2) 법인사업자 1년 이상 운영

당해 기업의 사업장별로 그 사업에 관한 주된 자산을 모두 승계하여 사업의 동일성이 유지되는 것으로서 다음 각 호의 요건을 갖춘 것을 말한다. 이 경우 설립 후 1년이 경과되지 아니한 법인이 출자자인 개인(「국세기본법」 제39조 제2항의 규정에 의한 과점주주에 한한다)의 사업을 승계하는 것은 이를 통합으로 보지 아니한다.

3) 소멸 기업자는 설립법인의 주주일 것

통합으로 인하여 소멸되는 사업장의 중소기업자가 통합 후 존속하는 법인 또는 통합으로 인하여 설립되는 법인(이하 이 조에서 "통합법인"이라 한다)의 주주 또는 출자자일 것

4) 취득하는 주식이 순자산가액 이상일 것

통합으로 인하여 소멸하는 사업장의 중소기업자가 당해 통합으로 인하여 취득하는 주식 또는 지분의 가액이 통합으로 인하여 소멸하는 사업장의 순자산가액(통합일 현재의 시가로 평가한 자산의 합계액에서 충당금을 포함한 부채의 합계액을 공제한 금액을 말한다. 이하 같다) 이상일 것

5) 소비성 서비스업이 아닐 것

"대통령령으로 정하는 소비성 서비스업"이란 다음 각 호의 어느 하나에 해당하는 사업(이하 "소비성 서비스업"이라 한다)을 말한다.

1. 호텔업 및 여관업(「관광진흥법」에 따른 관광숙박업은 제외한다)
2. 주점업(일반유흥주점업, 무도유흥주점업 및 「식품위생법 시행령」 제21조에 따른 단란주점 영업만 해당하되, 「관광진흥법」에 따른 외국인전용유흥음식점업 및 관광유흥음식점업은 제외한다)
3. 그 밖에 오락·유흥 등을 목적으로 하는 사업으로서 기획재정부령으로 정하는 사업

6) 이월과세 적용신청

양도소득세의 이월과세를 적용받고자 하는 자는 통합일이 속하는 과세연도의 과세표준 신고(예정신고를 포함한다) 시 통합법인과 함께 기획재정부령이 정하는 이월과세 적용신청서를 납세지 관할 세무서장에게 제출하여야 한다.

(4) 조세혜택

1) 양도소득세 이월과세

거주자가 사업용 고정자산을 현물출자하거나 대통령령으로 정하는 사업 양도·양수의 방법에 따라 법인(대통령령으로 정하는 소비성 서비스업을 경영하는 법인은 제외한다)으로 전환하는 경우 그 사업용 고정자산에 대해서는 이월과세를 적용받을 수 있다.

여기서 말하는 "이월과세"란 개인이 해당 사업에 사용되는 사업용 고정자산 등을 현물출자 등을 통하여 법인에 양도하는 경우 이를 양도하는 개인에 대해서는 「소득세법」 제94조에 따른 양도소득에 대한 소득세(이하 "양도소득세"라 한다)를 과세하지 아니하고, 그 대신 이를 양수한 법인이 그 사업용 고정자산 등을 양도하는 경우 개인이 종전 사업용 고정자산 등을 그 법인에 양도한 날이 속하는 과세기간에 다른 양도 자산이 없다고 보아 계산한 같은 법 제104조에 따른 양도소득 산출세액 상당액을 법인세로 납부하는 것을 말한다. 즉, 개인이 납부해야 할 양도소득세를 과세하지 않고 법인이 해당 사업용 고정자산을 양도하는 경우 법인세로 납부할 수 있게 지원해 주는 것이다.

부동산을 현물출자하게 되면 과거의 낮은 취득가액으로 인하여 최고구간의 소득세율이 적용될 수 있는데, 이러한 양도소득세를 이월과세해 주기 때문에 굉장히 큰 조세혜택이다.

2) 부가가치세 면제

부가가치세법 시행령 제23조 재화의 공급으로 보지 아니하는 사업 양도에 대해서 부가가치세를 면제해 주고 있다. 사업장별로 그 사업에 관한 모든 권리와 의무를 포괄적으로 승계시키는 것을 말한다.

3) 취득세 면제

「조세특례제한법」 제32조에 따른 현물출자 또는 사업 양도·양수에 따라 2021년 12월 31일까지 취득하는 사업용 고정자산에 대해서는 취득세의 100분의 75를 경감한다. 다만, 취득일부터 5년 이내에 대통령령으로 정하는 정당한 사유 없이 해당 사업을 폐업하거나 해당 재산을 처분(임대를 포함한다) 또는 주식을 처분하는 경우에는 경감받은 취득세를 추징한다.

2020년 8월 12일 부동산임대업에 대한 조세특례제한법 제32조에 따른 취득세 감면은 지방세특례제한법 개정으로 삭제되었다.

※ 지방세특례제한법 제57조의2(기업합병·분할 등에 대한 감면)

④「조세특례제한법」 제32조에 따른 현물출자 또는 사업 양도·양수에 따라 2021년 12월 31일까지 취득하는 사업용 고정자산에 대해서는 취득세의 100분의 75를 경감(「통계법」 제22조에 따라 통계청장이 고시하는 한국표준산업분류에 따른 부동산 임대 및 공급업에 대해서는 제외한다)한다. 다만, 취득일부터 5년 이내에 대통령령으로 정하는 정당한 사유 없이 해당 사업을 폐업하거나 해당 재산을 처분(임대를 포함한다) 또는 주식을 처분하는 경우에는 경감받은 취득세를 추징한다. 〈개정 2015. 12. 29., 2018. 12. 24., 2020. 8. 12.〉

4) 조세특례제한법상의 조세감면 및 미공제세액 승계

현물출자 법인전환을 하게 되면 개인사업자가 받을 수 있었던 조세특례제한법상의 각종 조세감면 및 세액공제승계 혜택을 받을 수 있다. 미공제세액을 승계한 자는 승계받은 자산에 대한 미공제세액상당액을 당해 개인사업자의 이월공제잔여기간 내에 종료하는 각 과세연도에 이월하여 공제받을 수 있다.

(5) 사후관리

법인의 설립등기일부터 5년 이내에 다음 사유가 발생하는 경우에는 사유발생일이 속하는 달의 말일부터 2개월 이내에 제1항에 따른 이월과세액(해당 법인이 이미 납부한 세액을 제외한 금액을 말한다)을 양도소득세로 납부하여야 한다. 이 경우 사업 폐지의 판단기준 등에 관하여 필요한 사항은 대통령령으로 정한다.

1) 설립된 법인이 거주자로부터 승계받은 사업을 폐지하는 경우

※ 사업의 폐지 아닌 경우

① 전환법인이 파산하여 승계받은 자산을 처분한 경우

② 전환법인이 「법인세법」 제44조 제2항에 따른 합병, 같은 법 제46조 제2항에 따른 분할, 같은 법 제47조 제1항에 따른 물적분할, 같은 법 제47조의2 제1항에 따른 현물출자의 방법으로 자산을 처분한 경우

③ 전환법인이 「채무자 회생 및 파산에 관한 법률」에 따른 회생절차에 따라 법원의 허가를 받아 승계받은 자산을 처분한 경우

2) 거주자가 법인전환으로 취득한 주식 또는 출자지분의 100분의 50 이상을 처분하는 경우

주식의 처분은 주식 또는 출자지분의 유상이전, 무상이전, 유상감자 및 무상감자(주주 또는 출자자의 소유주식 또는 출자지분 비율에 따라 균등하게 소각하는 경우는 제외한다)를 포함한다.

※ 주식의 처분이 아닌 경우

① 거주자가 사망하거나 파산하여 주식 또는 출자지분을 처분하는 경우

② 해당 거주자가 합병이나 분할의 방법으로 주식 또는 출자지분을 처분하는 경우

③ 해당 거주자가 주식의 포괄적 교환·이전 주식의 현물출자의 방법으로 과세특례를 적용받으면서 주식 또는 출자지분을 처분하는 경우

④ 해당 거주자가 「채무자 회생 및 파산에 관한 법률」에 따른 회생절차에 따라 법원의 허가를 받아 주식 또는 출자지분을 처분하는 경우

⑤ 해당 거주자가 법령상 의무를 이행하기 위하여 주식 또는 출자지분을 처분하는 경우

⑥ 해당 거주자가 가업의 승계를 목적으로 해당 가업의 주식 또는 출자지분을 증여하는 경우로서 수증자가 증여세 과세특례를 적용받은 경우

- 수증자를 해당 거주자로 보되, 5년의 기간을 계산할 때 증여자가 법인전환으로 취득한 주식 또는 출자지분을 보유한 기간을 포함하여 통산한다.

(6) 예규 및 판례

1) 중소기업 통합방식에 따른 법인전환하는 경우 사업양도 해당 여부(법규부가2014-561)

[요 지]

특허권의 경제적 소유자가 투자회사에 특허권의 실질적인 통제권을 이전하는 경우 재화의 공급에 해당하고, 그 공급시기는 실질적 통제권이 이전되는 시점이며, 투자회사가 특허권을 과세사업에 사용하는 경우 관련 매입세액은 공제받을 수 있음.

[답변내용]

제조업과 부동산임대사업을 겸영하는 개인사업자(갑)가 해당 사업장에서 제조업을 영위하는 임차법인(을)에게 그 사업장에 관한 자산과 부채를 현물출자하여 법인전환하는 경우로서 통합법인(을)이 제조업을 위한 사업장으로 자가 사용하는 경우 해당 사업장의 양도는 사업의 동일성이 유지되지 아니하여 「부가가치세법」 제10조 제8항 제2호에 따른 사업양도에 해당하지 아니하는 것임.

2) 임대업과 광업에 사용 자산을 중소기업통합 또는 현물출자로 법인전환한 경우 양도세 이월과세 적용가능한지 여부(양도, 부동산거래관리과-0580, 2011. 7. 8.)

[요 지]

「조세특례제한법」 제31조 및 같은 법 시행령 제28조 제1항을 적용함에 있어 임대사업에 사용하던 부동산을 통합법인이 승계받아 자가 사용하는 경우에는 사업의 동일성이 유지되지 않는 것이며, 「조세특례제한법」 제32조의 법인전환에 대한 양도소득세의 이월과세 규정을 적용함에 있어 동일한 업종으로 전환하거나 업종을 추가 또는 변경하는 경우에도 동 규정을 적용받을 수가 있는 것임.

[회 신]
귀하의 질의와 관련하여 부동산거래관리과－766(2010. 6. 3.)호 및 재산세과－808(2009. 11. 23.)호를 참고하시기 바랍니다.

[관련법령]
조세특례제한법 제31조【중소기업 간의 통합에 대한 양도소득세의 이월과세 등】

3) 임대업에 사용하던 건물 철거 중 중소기업 간 통합이 이루어진 경우 중소기업통합에 따른 이월과세 적용 여부(양도, 서면 법규과－973, 2013. 9. 9.)

[요 지]
부동산임대업을 영위하던 거주자가 법인과의 통합계약에 따라 임대에 사용하던 구 건물을 철거하던 중 구 건물을 포함한 사업용 고정자산을 법인에게 양도하고 법인이 양수한 구건물의 철거를 완료하여 건물을 신축한 후 부동산임대업에 사용하는 경우 「조세특례제한법」 제31조 적용 가능

[회 신]
부동산임대업을 영위하던 거주자가 법인과의 통합계약에 따라 임대에 사용하던 구 건물을 철거하던 중 구 건물을 포함한 사업용 고정자산을 법인에게 양도하고 법인이 양수한 구건물의 철거를 완료하여 건물을 신축한 후 부동산임대업에 사용하는 경우 「조세특례제한법」 제31조에 따른 중소기업 간의 통합에 대한 양도소득세의 이월과세를 적용받을 수 있는 것입니다.

[관련법령]
조세특례제한법 제99조의2

4) 청구법인이 주식등변동상황명세서를 누락 제출한 것으로 보아 가산세를 부과한 처분은 정당(법인, 조심－2016－중－1162, 2016. 6. 15., 기각, 완료)

[요 지]
청구법인에 대한 감사보고서상 쟁점부동산을 현물출자받고 쟁점주식을 발행·교부한 것으로 나타나고, 청구법인의 대차대조표에는 쟁점주식 발행에 따라 증가한 자본금이 계상되어 있는

점 등에 비추어 사실상 청구법인이 사업연도 중 쟁점부동산을 현물출자받아 자본금을 증자한 것으로 보이므로 이 건 처분은 잘못이 없다고 판단됨.

[관련법령]

법인세법 제76조 / 법인세법 제119조 / 국세기본법 제49조

[처분청 의견]

청구법인은 회사가 증자의 등기를 하거나 주식을 발행·교부하는 시기를 기준으로 주식등 변동상황명세서상 주식변동사항을 기재하는 것이라고 주장하나, 증자의 등기는 제3자에 대한 대항적 효력 발생시기일 뿐이고, 「상법」 제421조 및 제423조에 따라 청구법인이 현물출자를 원인으로 쟁점부동산의 소유권을 이전받은 시점인 2013. 7. 2.을 증자시기로 봄이 타당하므로, 그에 따른 주식변동사항은 2013사업연도의 주식등변동상황명세서에 기재하여 제출하여야 하며, 청구법인이 쟁점부동산의 현물출자에 따른 자본금의 증가를 2013사업연도의 대차대조표에 계상하였고, 쟁점부동산 현물출자와 관련한 중소기업통합계약서, 이사회회의록, 감사보고서 등에도 ○○○의 쟁점부동산 현물출자에 따라 1주당 발행가액을 ○○○원으로 하여 쟁점주식을 2013사업연도 중 발행한 것으로 나타나는 등 ○○○는 2013사업연도 중 쟁점주식에 대하여 주주로서의 권리를 행사할 수 있는 지위를 갖게 된 것으로 봄이 타당하므로, 사실상 청구법인이 2013사업연도 중 쟁점부동산을 현물출자받고 증자하여 쟁점주식을 발행한 것으로 봄이 타당하다 할 것인 바, 청구법인이 그에 따른 주식변동사항을 2013사업연도의 주식등변동상황명세서에 기재를 누락하였으므로 이 건 가산세 부과처분은 잘못이 없다.

5) 중소기업 간의 통합으로 취득하는 출자지분가액이 소멸한 사업장의 순자산가액에 미달한 것으로 보아 양도소득세 이월과세 신청을 부인한 과세처분은 타당함

(양도, 조심2011서2801, 2012. 7. 26., 기각, 완료)

[요 지]

청구인은 쟁점부동산 임대보증금이 청구인이 단독채무라고 주장한, 청구인과 妻가 쟁점부동산을 공동 소유하였던 점 등을 종합할 때, 처분청이 동 임대보증금이 이들의 공동채무임을 전제로 이월과세 요건을 불충족한 것으로 보고 과세한 이 사건 처분은 잘못이 없음.

[처분개요]

가. 청구인은 ○○○동 1000-7 외 2필지 토지 및 상가건물(이하 "현물출자부동산"이라 한다)을 배우자 박○○와 공동 소유하며 부동산임대업을 영위하던 사업자로, 2009. 12. 14. 현물

출자부동산을 주식회사 ○○○티앤디(2007. 3. 30. 설립, 이하 "○○○티앤디"라 한다)에 현물출자하고, 「조세특례제한법」 제31조 및 「조세특례제한법 시행령」 제28조에 의거 중소기업 간 통합에 대한 양도소득세 이월과세를 신청하였다.

나. 청구인과 박○○(이하 "청구인들"이라 한다)는 현물출자가액 산정 시 임대보증금 ○○○억 원(이하 "쟁점임대보증금"이라 한다) 전부를 청구인의 부채로 하여 청구인은 ○○○백만 원, 박○○는 ○○○백만 원을 각각 현물출자한 것으로 평가하고 동일금액의 ○○○티앤디 주식을 취득하였다.

다. 처분청은 청구인의 단독 부채로 신고한 쟁점임대보증금을 현물출자 부동산의 지분비율로 안분하여 청구인과 박○○의 현물출자가액을 평가하고, 청구인의 주식인수가액이 소멸한 사업장의 순자산가액에 미달하므로 이월과세 신청을 부인하여 2011. 7. 6. 청구인에게 2009년 귀속 양도소득세 ○○○원을 결정·고지하였다.

[청구인 주장]

청구인은 2009. 12. 14. 현물출자 이전 쟁점부동산을 임차인들에게 임대하면서 박○○와 공동으로 임대차계약서에 서명한 사실은 있으나 이는 현물출자 부동산의 지분소유자로서 임차인의 신뢰를 담보하기 위해 필연적으로 요구되는 절차이며, 쟁점임대보증금은 전액 청구인 계좌로 입금되어 있고, 쟁점임대보증금에 대하여 청구인이 소득세와 부가가치세를 신고·납부하였으며, 청구인은 박○○와 체결한 별도의 임대차계약에 의해 박○○ 지분에 대한 임대료로 매월 ○○○만 원(부가가치세 포함)을 지급하고 박○○가 부가가치세 및 소득세를 신고·납부하였다. 따라서 청구인들은 실질적으로 자기 소유 지분만큼 제3자 임차인들에 각각 임대한 것이 아니라 청구인이 일괄해서 임대하였으며, 청구인은 박○○와의 임대차 계약에 따라 박○○ 소유지분의 시세에 상당하는 만큼의 임대료를 지급하였으므로 임대보증금 ○○○억 원은 전액 청구인의 부채로 인정하는 것이 타당하다.

[처분청 의견]

(1) 「조세특례제한법」 제31조의 순자산가액의 산정은 쟁점부동산의 실질가치를 평가하여 실질가치를 초과하여 통합하는 것이 이월과세의 요건이며, 이월과세의 요건은 사업장별로 판단하여 "통합으로 인하여 소멸하는 사업장의 중소기업자가 당해 통합으로 인하여 취득하는 주식 또는 출자지분의 가액이 통합으로 인하여 소멸하는 사업장의 순자산가액(통합일 현재의 시가로 평가한 자산의 합계액에서 충당금을 포함한 부채의 합계액을 공제한 금액을 말한다) 이상"에 해당하여야 하는 바, 쟁점부동산에 대한 임대차계약서에는 청구인과 박○○가 공동임대인으로 되어 있고 공동 소유자 사이의 권리·의무에 차등을 두지 않았으며, ○○감정평가원에 평가 의뢰한 감정평가서(2009. 10. 22.)의 건물평가요항표 7번 임대관계 및 기타항목에

서도 청구인과 박○○가 쟁점임대보증금에 소유자로 평가하고 있는 바, 박○○가 쟁점부동산에 대한 지분권자로서 연대채무에 대한 의무만을 가지고 있다 하더라도 공동사업자에 등재되지 않은 박○○도 본인지분만큼 임대보증채무가 있다고 할 것이다. 따라서 청구인 본인의 실질 채무만 차감하여 순자산가액을 산정하여야 한다.

(2) 쟁점부동산의 임대보증금을 박○○가 청구인에게 대여한 것으로 본 것과 박○○의 증여세 과세는 적정하다. 왜냐하면 ① 청구인과 박○○ 보유지분에 해당하는 현물출자가 이루어졌으며 통합 후 존속법인에게 승계된 것으로 보아야 하므로 부채인 임대보증도 각자의 지분 비율만큼 차감하여 계산함이 타당하고, ② 박○○의 증여이익을 청구인이 발생시킨 것이 아니라, 통합 후 존속법인이 청구인과 박○○의 쟁점부동산에 대한 현물출자의 대가로 출자지분을 교부한 것이며, 현물출자 재산 통합 후 존속법인이 과대평가함으로써 발생한 지분증여에 해당하고, ③ 공인감정인의 감정은 양도소득세 이월과세 적용요건과 무관하기 때문이다.

[판 단]

청구인은 쟁점임대보증금이 본인명의 계좌에 입금·관리하고 있으며, 청구인과 박○○ 간 별도 임대차 계약이 체결되어 실질적으로 청구인의 부채라는 주장이나, 현물출자부동산에 대한 임대차계약서에는 청구인과 박○○가 임대인으로 되어 있고 공동소유자 사이의 권리·의무에 차등을 두지 않았으므로, 「부가가치세법」상 공동사업자로 등록되지 아니하였다 하더라도 박○○ 또한 자신의 지분에 해당하는 임대보증채무가 있다 할 것이고, 임차인 역시 쟁점임대보증금에 대한 채무를 공동으로 부담하는 박○○가 그 지분에 해당하는 의무이행을 기대할 것으로 보이며, 현물출자를 하기 위하여 ○○○감정평가원에 평가 의뢰한 감정평가서(2009. 10. 22.)의 건물평가요항표 7번 임대관계 및 기타항목에서도 청구인과 박○○가 쟁점임대보증금에 대한 권리·의무를 동시에 가지고 있다고 되어 있고, 부부간이라 하더라도 공동으로 등기된 소유권과 달리 거기에 근거한 임대보증금 등의 채무를 어느 일방의 것이라고 볼 수는 없다 할 것이며(조심 2011서2754, 2011. 12. 27. 같은 뜻임), 이월과세 적용여부의 판단기준은 사업장 전체로 판단하는 것이 아니고 출자자 개인별로 판단하는 것(국심 2000광2993, 2001. 3. 20. 같은 뜻임)이며, 「조세특례제한법」 제31조의 순자산가액의 산정은 현물출자부동산의 실질가치를 평가하도록 규정하고 있고, 순자산가액은 통합일 현재의 시가로 평가한 자산의 합계액에서 충당금을 포함한 부채의 합계액을 공제하여 계산하도록 하고 있으므로, 처분청에서 쟁점임대보증금을 현물출자부동산의 보유지분에 따라 각자의 부채로 안분계산하여 현물출자가액을 평가하여, 청구인의 주식인수가액이 소멸한 사업장의 순자산가액에 미달하므로 이월과세 신청을 부인하여 과세한 처분은 달리 잘못이 없다고 판단된다.

6) 현물출자재산에 설정된 물상보증 채무액을 순자산평가액에서 공제하여야 하는지 여부

(양도, 광주고등법원(전주) - 2014 - 누 - 545, 2014. 10. 20., 국승, 완료)

[판 단]

조세심판 과정에서 주된 쟁점이 되었던 현물출자재산에 설정된 물상보증 채무액을 순자산평가액에서 공제하여야 하는지 여부에 대하여는 아무런 판단을 하지 아니한 위법이 있다는 취지로 주장한다.

살피건대, 과세처분취소소송의 소송물은 과세관청이 결정한 세액의 객관적 존부이므로, 과세관청으로서는 소송 도중 사실심 변론 종결 시까지 당해 처분에서 인정한 과세표준 또는 세액의 정당성을 뒷받침할 수 있는 새로운 자료를 제출하거나 처분의 동일성이 유지되는 범위 내에서 그 사유를 교환·변경할 수 있는 것이고, 반드시 처분 당시의 자료만에 의하여 처분의 적법 여부를 판단하여야 하거나 처분 당시의 처분사유만을 주장할 수 있는 것은 아닌 바(대법원 2002. 10. 11. 선고 2001두1994 판결 등 참조), 비록 이 사건 처분 및 그 조세심판 과정에서 현물출자재산에 설정된 물상보증 채무액이 순자산평가액에서 공제되어서는 아니 됨을 근거로 이 사건 처분 및 그에 대한 조세심판결정이 이루어졌으나, 이 사건 소송 과정에서 피고는 원고가 현물출자재산 가액을 산정함에 있어 이 사건 000-9 토지의 가액을 누락함에 따라 이를 가산하면 물상보증 채무액의 공제 여부와 관계없이 원고의 현물출자재산 가액이 원고의 신주취득가액을 초과하여 결국 원고의 현물출자로 인한 양도소득이 이월과세 대상에 해당하지 아니함을 이 사건 처분 사유로 추가하였고, 제1심은 위와 같이 추가된 처분 사유를 받아들여 이 사건 처분이 적법하다고 판단하였으며, 이러한 판단에 있어 물상보증 채무액의 공제여부에 대한 판단이 전제되어야 하는 것도 아니므로, 제1심이 그에 대한 판단을 하지 아니하였다고 하여 판단누락의 위법이 있다고 할 수 없다.

7) 원고가 쟁점부동산에 근저당권자로 설정해 준 물상보증 채무액(채권최고액)은 순자산가액을 계산함에 있어 공제할 수 있는지 여부

(양도, 수7 - 2014 - 구합 - 51242, 2014. 11. 26., 국패, 완료)

[판 단]

이월과세 요건인 "순자산가액"은 '현재의 시가로 평가한 자산의 합계액에서 충당금을 포함한 부채의 합계액을 공제한 금액'으로 계산하도록 규정되어 있는데, 회계상으로는 통상 이 사건 채권최고액 상당을 우발채무로 보아 부채로 인정되지 않는 것으로 보기는 하나, 앞서 든 각 증거에 변론 전체의 취지를 종합하여 알 수 있는 다음과 같은 사정에 비추어 보면, 순자산가액을 계산함에 있어 이 사건 채권최고액을 공제할 수 있다고 봄이 타당하다. 따라서 이 사건 법인의 자본금은 14,086,590,000원이고, 이 사건 사업장의 순자산가액은 이 사건 채권최고액 50억 원을 공제한 14,046,594,144원이어서 구 「조세특례제한법」 제32조에서 정한 이월과세요건을 충족하는 바, 이 사건 사업장의 순자산가액을 19,086,594,144원으로 보아 이월과세요건을 충족하지 못하였음을 전제로 한 피고의 이 사건 처분은 위법하다.

① 이월과세는 개인이 권리·의무의 주체가 되어 경영하던 기업을 개인 기업주와 독립된 법인이 권리·의무의 주체가 되어 경영하도록 기업의 조직 형태를 변경하는 경우 실질적으로 동일한 사업주가 사업의 운영 형태만 바꾸는 것에 불과한 경우 적용되는 것이고, 자본금이 순자산가액 이상일 것을 요구하는 법의 취지는 이와 같이 실질적으로 동일한 사업주가 사업의 운영 형태만 바꾸는 것으로 평가되기 위해서는 현물출자 대상인 순자산가액이 새로 설립되는 법인에 그대로 승계되어야 하기 때문인 것인데, 원고는 이 사건 부동산을 비롯한 이 사건 사업장의 사업용 자산 전부를 현물출자하여 이 사건 법인을 설립하였고, 기존 사업장의 자산과 부채 중 일부가 제외된 바가 없는 바, 현물출자 대상인 순자산가액이 새로 설립되는 법인에 그대로 승계되어 실질적으로 동일한 사업주가 사업의 운영 형태만 바꾸는 것으로 평가된다.

② 현물출자에 관하여는 법원에 감정인의 감정결과 등을 보고하여야 하고 법원은 이를 심사하여 인가 또는 변경결정을 하게 되는데(상법 제299조의2, 제300조 등), 앞서 본 바와 같이 이 사건 현물출자를 심사한 ○○중앙지방법원은 이 사건 부동산에 근저당권이 설정되어 있다는 이유로 이 사건 채권최고액을 현물출자액에서 공제하도록 권고하였고, 원고가 이에 응하여 이 사건 부동산 평가액을 14,558,595,040원, 이 사건 현물출자액을 14,082,206,267원, 자본금을 14,082,205,000원으로 수정하여 위 법원의 인가를 받았는 바, 결국 위 법원은 이 사건 사업장의 가치를 14,082,206,267원으로 평가한 것이고, 원고로서는 현물출자를 통해 법인전환을 하려는 경우 상법 규정에 의하여 위 법원의 결정을 따를 수밖에 없었다.

③ 사업장의 자산 및 부채를 전부 현물출자하여 법인을 설립하는 경우 "현물출자액"과 조세특례제한법 시행령이 규정한 "순자산가액"은 모두 기존 사업장의 가치를 평가하는 것이므로 개념상 동일한 금액이 되어야 한다.

④ 위 현물출자 심사 법원은 현물출자대상인 이 사건 사업장을 평가함에 있어 이 사건 채권최고액 상당을 자원의 유출가능성이 높다고 보아 부채로 평가한 것으로 볼 수 있고 그와 같은 전제에서 새로 설립되는 이 사건 법인의 자본금 액수(발행주식수)가 정하여졌으므로, 이월과세와 관련하여 기존 사업장의 가치를 평가하여 이를 새로 설립되는 법인의 자본금과 비교하기 위한 목적에서 산정하는 순자산가액을 구함에 있어서도 이 사건 채권최고액 상당을 부채로 평가할 수 있다고 봄이 타당하다.

⑤ 회계상으로는 통상 이 사건 채권최고액 상당을 우발채무로 보아 부채로 인정하지 않으므로, 원고가 이 사건 사업장의 법인전환을 위한 현물출자를 함에 있어 법원이 현물출자액에서 이 사건 채권최고액을 공제할 것이라고 예상하기 어려웠을 것으로 보이는데, 만약 자본금은 법원의 결정에 따라 이 사건 채권최고액이 공제되어 정하여지면서도 순자산가액을 산정함에 있어 이 사건 채권최고액을 공제받지 못한다면, 이는 이월과세가 가능할 것이라는 원고의 기대가 원고에게 책임지우기 어려운 사정으로 침해되는 것이어서 부당하다(이 사건 근저당권이 물상보증을 한 것이 아니라 원고가 피담보채무를 부담하는 경우라면 순자산가액을 산정함에 있어 피담보채무액이 부채로 공제되어 이월과세가 적용되는데 아무 문제가 없을 것인데, 이 사건과 같이 물상보증을 한 경우에만 이월과세가 적용되지 않아야 할 특별한 이유가 없고 이월과세를 규정한 조세특례제한법이 이와 같은 결과를 예상하거나 의도한 것도 아닌 것으로 보인다).

8) 사업장의 순자산가액을 계산하면서 위 사업장의 사업과 직접 관련이 없는 부채라고 보아 이를 제외한 것은 정당함

(양도, 수원지방법원-2016-구단-8092, 2017. 3. 8., 국승, 진행 중)

[요 지]

양도소득세 이월과세는 사업장별로 적용하는 것이 타당하고, 그 이월과세 요건인 순자산가액, 즉 현재의 시가로 평가한 자산의 합계액에서 충당금을 포함한 부채의 합계액을 공제한 금액을 계산함에 있어서도 그 자산이나 부채는 해당 사업장의 사업에 직접 사용하는 고정자산과 사업과 직접 관련하여 발생하여 승계된 부채로 한정함.

[판 단]

원고는 2003년부터 2008년까지 골프장 신축공사 관련 대출금 약 30억 원을 제외한 이 사건 부채를 이 사건 사업장의 재무제표에 계상한 사실이 없고, 2009. 12. 28. 원고 본인 명의로 120억 원의 대출을 실행하여 기존 대출금을 전액 상환하고 이 사건 부동산에 관한 근저당권을 말소한 후 비로소 재무제표에 120억 원의 부채를 반영하였는 바, 이처럼 원고가 법인전환을 위한 현물출자 직전에 소멸하는 사업장과 직접 관련없는 이 사건 부동산에 설정된 물상보증채무 등의 상환을 목적으로 고액의 부채를 발생시킨 다음 축소된 순자산가액을 출자하여 이 사건 법인으로 전환한 것은 사업의 동일성을 유지하면서 사업을 운영하는 형태만 변경한 것으로 보기 어렵다.

○ 원고 주장에 의하더라도 이 사건 부채는 원고가 그 동안 이 사건 사업장에 출자한 금원(또는 누적된 이익금)을 인출하여 원고의 다른 사업장의 부채를 상환하였다는 것이어서 그 실질이 이 사건 사업장의 사업과 직접 관련이 없는 것임을 사실상 자인하고 있다. 이러한 원고의 행위는 개인사업자가 부채를 과대계상함으로써 출자금액을 사실상 축소시키는 것임에 틀림없고, 사업양수도 대상의 순자산가액이 신설 법인에 그대로 승계되는 것이 아님도 분명하다.

○ 주식회사의 발기설립에 있어서 법원의 심사대상은 변태설립사항이나 현물출자의 이행 등의 적정성인데, 위와 같은 심사를 하도록 한 취지는 현물출자의 목적물을 과대평가하는 등의 방법으로 회사의 자본충실을 해하는 것을 방지하여 금전출자자와 회사채권자를 보호하기 위한 것이다. 법원의 심사도 이러한 취지에 맞추어 부동산감정서의 평가기준일이나 근저당채무의 반영 여부, 대항력 있는 임차인의 존부, 현물출자의 이행 여부 등과 같은 외형적·형식적 사항에 집중되어 있고, 변경결정을 할 때에도 제도의 취지상 제한적·소극적 변경만이 가능할 뿐이다. 따라서 원고가 법원으로부터 이 사건 부동산의 현물출자에 대하여 승인받았다는 사정만으로는 개인사업자가 출자금액을 부당하게 축소하는 것을 방지하는데 그 목적을 둔 조세특례제한법상의 이월과세의 요건까지 승인받은 것으로 볼 수는 없다.

■ 조세특례제한법 시행규칙 [별지 제12호 서식] 〈개정 2015. 3. 13.〉

이월과세적용 신청서

※ 뒤쪽의 작성방법을 읽고 작성하시기 바랍니다. (앞쪽)

신청인(양도자)	① 상호	② 사업자등록번호
	③ 성명	④ 생년월일
	⑤ 주소 (전화번호 :)	

양수인	⑥ 상호	⑦ 사업자등록번호
	⑧ 성명	⑨ 생년월일
	⑩ 주소 (전화번호 :)	

이월과세적용 대상 자산

⑪ 자산명	⑫ 소재지	⑬ 면적	⑭ 취득일	⑮ 취득가액

⑯ 양도일	⑰ 양도가액	⑱ 이월과세액	⑲ 비고

소멸하는 사업장의 순자산가액의 계산

⑳ 사업용자산의 합계액(시가)	부채		㉓ (⑳ - ㉒) 순자산가액
	㉑ 과목	㉒ 금액	

「조세특례제한법 시행령」 [ ]제28조 제3항 / [ ]제29조 제4항 / [ ]제63조 제10항 / [ ]제65조 제5항 에 따라 이월과세의 적용을 신청합니다.

년 월 일

신청인(양도인) (서명 또는 인)

양수인 (서명 또는 인)

세무서장 귀하

첨부 서류	1. 사업용자산 및 부채명세서 1부 (전자신고 방식으로 제출하는 경우에는 구비서류를 제출하지 않고 법인이 보관합니다) 2. 현물출자계약서 사본 1부(「조세특례제한법 시행령」 제63조 제10항에 따라 신청하는 경우로 한정합니다)	수수료 없 음
담당 공무원 확인사항	이월과세적용대상자산의 건물(토지) 등기사항증명서	

210mm×297mm[백상지 80g/㎡ 또는 중질지 80g/㎡]

(뒤쪽)

작 성 방 법

1. 이월과세적용대상 자산·사업용자산 및 부채명세는 각각 별지로 작성합니다.

2. "⑮ 취득가액"란 및 "⑰ 양도가액"란은 "⑱ 이월과세"란의 금액을 기준시가로 산정하는 경우 기준시가를 기재하고, 실지거래가액으로 산정하는 경우 실지거래가액을 적습니다.

3. "⑯ 양도일"란은 통합일(법인전환일) 또는 현물출자일을 적습니다.

4. "⑳ 사업용자산의 합계액"란은 소멸하는 사업장의 사업용자산을 시가로 평가한 후 그 합계액을 적습니다.

5. "㉓ 순자산가액"란은 소멸하는 사업장의 사업용자산에 대한 시가의 합계액에서 부채의 합계액을 차감한 금액을 적습니다.

6. 「조세특례제한법 시행령」 제63조 제10항 및 제65조에 따른 이월과세는 "⑳ 사업용자산의 합계액(시가)"란부터 "㉓ 순자산가액"란까지는 적지 않습니다.

210mm×297mm[백상지 80g/㎡ 또는 중질지 80g/㎡]

[별표] 감정평가수수료 체계

감정평가액	수수료 요율 체계		
	하한 수수료 (0.8배)	기준 수수료	상한 수수료 (1.2배)
5천만 원 이하	200,000원		
5천만 원 초과 5억 원 이하	200,000원 + 5천만 원 초과액의 11/10,000 × 0.8	200,000원 + 5천만 원 초과액의 11/10,000	200,000원 + 5천만 원 초과액의 11/10,000 × 1.2
5억 원 초과 10억 원 이하	596,000 + 5억 원 초과액의 9/10,000 × 0.8	695,000 + 5억 원 초과액의 9/10,000	794,000 + 5억 원 초과액의 9/10,000 × 1.2
10억 원 초과 50억 원 이하	956,000 + 10억 원 초과액의 8/10,000 × 0.8	1,145,000 + 10억 원 초과액의 8/10,000	1,334,000 + 10억 원 초과액의 8/10,000 × 1.2
50억 원 초과 100억 원 이하	3,516,000 + 50억 원 초과액의 7/10,000 × 0.8	4,345,000 + 50억 원 초과액의 7/10,000	5,174,000 + 50억 원 초과액의 7/10,000 × 1.2
100억 원 초과 500억 원 이하	6,316,000 + 100억 원 초과액의 6/10,000 × 0.8	7,845,000 + 100억 원 초과액의 6/10,000	9,374,000 + 100억 원 초과액의 6/10,000 × 1.2
500억 원 초과 1,000억 원 이하	25,516,000 + 500억 원 초과액의 5/10,000 × 0.8	31,845,000 + 500억 원 초과액의 5/10,000	38,174,000 + 500억 원 초과액의 5/10,000 × 1.2
1,000억 원 초과 3,000억 원 이하	45,516,000 + 1,000억 원 초과액의 4/10,000 × 0.8	56,845,000 + 1,000억 원 초과액의 4/10,000	68,174,000 + 1,000억 원 초과액의 4/10,000 × 1.2
3,000억 원 초과 6,000억 원 이하	109,516,000 + 3,000억 원 초과액의 3/10,000 × 0.8	136,845,000 + 3,000억 원 초과액의 3/10,000	164,174,000 + 3,000억 원 초과액의 3/10,000 × 1.2
6,000억 원 초과 1조 원 이하	181,516,000 + 6,000억 원 초과액의 2/10,000 × 0.8	226,845,000 + 6,000억 원 초과액의 2/10,000	272,174,000 + 6,000억 원 초과액의 2/10,000 × 1.2
1조 원 초과	245,516,000 + 1조 원 초과액의 1/10,000 × 0.8	306,845,000 + 1조 원 초과액의 1/10,000	368,174,000 + 1조 원 초과액의 1/10,000 × 1.2

법무사보수표

2018. 8. 10. 시행

※ 본 표는 법무사 기본보수의 상한액(산정방법)을 정한 것입니다. 다만, 개별 사건의 경우에 이러한 상한액은 「법무사보수기준」에 따라 가산되거나 감액될 수 있습니다.

Ⅰ. 부동산등기 사건의 보수

1. 부동산등기(토지, 건물·구분건물, 입목, 선박, 공장 및 광업재단을 포함한다)의 소유권보존(건물의 증축 및 부속건물 신축을 포함한다)·이전, 용익권·담보권의 설정, 처분 또는 채권액의 증가에 관한 등기 및 가등기

※ 수개의 부동산을 1건의 신청서로 등기를 하는 경우 각 부동산의 과세표준액을 합산하여 가산함

과세표준액		기본보수(산정방법)			
	1천만 원까지	100,000원			
1천만 원 초과	5천만 원까지	100,000원	+	1천만 원 초과액의	11/10,000
5천만 원 초과	1억 원까지	144,000원	+	5천만 원 초과액의	10/10,000
1억 원 초과	3억 원까지	194,000원	+	1억 원 초과액의	9/10,000
3억 원 초과	5억 원까지	374,000원	+	3억 원 초과액의	8/10,000
5억 원 초과	10억 원까지	534,000원	+	5억 원 초과액의	7/10,000
10억 원 초과	20억 원까지	884,000원	+	10억 원 초과액의	5/10,000
20억 원 초과	200억 원까지	1,384,000원	+	20억 원 초과액의	4/10,000
200억 원 초과		8,584,000원	+	200억 원 초과액의	1/10,000

2. 담보권의 추가 설정등기

과세표준액		기본보수(산정방법)			
	5천만 원까지	80,000원			
5천만 원 초과	2억 원까지	80,000원	+	5천만 원 초과액의	5/10,000
2억 원 초과	10억 원까지	155,000원	+	2억 원 초과액의	2/10,000
10억 원 초과	100억 원까지	315,000원	+	10억 원 초과액의	1/10,000
100억 원 초과		1,215,000원	+	100억 원 초과액의	1/20,000

3. 그 밖의 등기

그 밖의 등기의 유형	기본보수
(1) 재단의 분할·합병·목록변경	80,000원
(2) 권리의 변경·경정 또는 회복	100,000원
(3) 부동산의 표시 또는 등기명의인 표시의 변경·경정	30,000원
(4) 말소등기	50,000원

4. 신탁등기

신탁등기의 유형	기본보수
(1) 신탁등기, 신탁가등기, 재신탁등기, 담보권신탁등기, 위탁자의 선언에 의한 신탁등기, 수탁자의 고유재산으로의 변경등기, 위탁자의 지위이전에 의한 신탁등기	100,000원
(2) 신탁원부 기록의 변경등기, 수탁자가 수인인 등기의 합유명의인 변경등기, 신탁의 합병·분할에 따른 등기	70,000원
(3) 유한책임신탁의 설정등기	220,000원

(4) 신탁등기의 말소등기	40,000원
(5) 그 밖의 신탁에 관한 등기	70,000원

Ⅱ. 상업·법인등기 사건의 보수

1. 회사(합자조합 포함, 이하 같다) 또는 법인의 설립(분할, 합병, 주식이전 또는 조직변경에 의한 설립 포함)에 관한 등기

납입(출자)금액		기본보수(산정방법)			
	5천만 원까지	310,000원			
5천만 원 초과	1억 원까지	310,000원	+	5천만 원 초과액의	22/10,000
1억 원 초과	3억 원까지	420,000원	+	1억 원 초과액의	9/10,000
3억 원 초과	5억 원까지	600,000원	+	3억 원 초과액의	8/10,000
5억 원 초과	10억 원까지	760,000원	+	5억 원 초과액의	7/10,000
10억 원 초과	20억 원까지	1,110,000원	+	10억 원 초과액의	6/10,000
20억 원 초과	200억 원까지	1,710,000원	+	20억 원 초과액의	4/10,000
200억 원 초과		8,910,000원	+	200억 원 초과액의	1/10,000

2. 회사의 자본(자산)의 증감(흡수합병·분할합병 또는 주식교환으로 인한 자본증가를 포함한다)에 관한 등기

납입(출자)금액 또는 감소하는 자본(자산)의 가액		기본보수(산정방법)			
	5천만 원까지	230,000원			
5천만 원 초과	1억 원까지	230,000원	+	5천만 원 초과액의	19/10,000
1억 원 초과	3억 원까지	325,000원	+	1억 원 초과액의	8/10,000
3억 원 초과	5억 원까지	485,000원	+	3억 원 초과액의	7/10,000
5억 원 초과	10억 원까지	625,000원	+	5억 원 초과액의	6/10,000
10억 원 초과	20억 원까지	925,000원	+	10억 원 초과액의	5/10,000
20억 원 초과	200억 원까지	1,425,000원	+	20억 원 초과액의	4/10,000
200억 원 초과		8,625,000원	+	200억 원 초과액의	1/10,000

3. 전환사채·신주인수권부사채·이익참가부사채의 발행

사채총액		기본보수(산정방법)			
	1억 원까지	120,000원			
1억 원 초과	5억 원까지	120,000원	+	1억 원 초과액의	5/10,000
5억 원 초과	20억 원까지	320,000원	+	5억 원 초과액의	3/10,000
20억 원 초과	100억 원까지	770,000원	+	20억 원 초과액의	2/10,000
100억 원 초과		2,370,000원	+	100억 원 초과액의	1/10,000

4. 상업·법인의 기타 등기

상업·법인의 기타 등기 유형	기본보수(산정방법)
(1) 외국회사(법인)의 영업소(분사무소) 설치·변경·폐지	250,000원
(2) 자본증가 없는 합병	150,000원
(3) 주식의 병합·분할·소각	120,000원
(4) 회사(법인)의 해산·청산종결·계속에 관한 등기, 상호의 신설 또는 상호의 가등기, 본점(주사무소)의 이전, 지점(분사무소)의 설치·이전, 상호·목적의 변경	100,000원
(5) 무능력자 등기, 법정대리인 등기	70,000원
(6) 임원(이사·감사·사원·지배인·청산인 등)의 선임·변경	80,000원

(7) 지점 및 분사무소 소재지에서의 등기	60,000원
(8) 그 밖의 등기	60,000원

Ⅲ. 후견등기에 관한 사건의 보수

후견등기 유형	기본보수(산정방법)
(1) 후견등기 신청	250,000원
(2) 후견등기 기록의 변경, 기타 등기	100,000원

Ⅳ. 동산·채권담보등기 사건의 보수

1. 담보권의 설정, 처분 또는 채권액 증가

채권액(채권최고액)		기본보수(산정방법)			
	1천만 원까지	150,000원			
1천만 원 초과	5천만 원까지	150,000원	+	1천만 원 초과액의	10/10,000
5천만 원 초과	1억 원까지	190,000원	+	5천만 원 초과액의	9/10,000
1억 원 초과	3억 원까지	235,000원	+	1억 원 초과액의	8/10,000
3억 원 초과	5억 원까지	395,000원	+	3억 원 초과액의	7/10,000
5억 원 초과	10억 원까지	535,000원	+	5억 원 초과액의	6/10,000
10억 원 초과	20억 원까지	835,000원	+	10억 원 초과액의	5/10,000
20억 원 초과	200억 원까지	1,335,000원	+	20억 원 초과액의	4/10,000
200억 원 초과		8,535,000원	+	200억 원 초과액의	1/10,000

2. 담보권의 추가설정등기

채권액(채권최고액)		기본보수(산정방법)			
	1천만 원까지	100,000원			
1천만 원 초과	5천만 원까지	100,000원	+	1천만 원 초과액의	4/10,000
5천만 원 초과	2억 원까지	116,000원	+	5천만 원 초과액의	3/10,000
2억 원 초과	10억 원까지	161,000원	+	2억 원 초과액의	2/10,000
10억 원 초과	100억 원까지	321,000원	+	10억 원 초과액의	1/10,000
100억 원 초과		1,221,000원	+	100억 원 초과액의	1/20,000

3. 그 밖의 등기

그 밖의 등기의 유형	기본보수
(1) 담보목적물의 변경, 담보권의 변경·경정·연장·말소	100,000원
(2) 등기명의인 표시의 변경·경정등기, 그 밖의 등기(담보권설정자의 변경·경정)	70,000원

Ⅴ. 공탁 사건의 보수(보증보험 포함)

공탁가액		기본보수(산정방법)			
	5천만 원까지	100,000원			
5천만 원 초과	1억 원까지	100,000원	+	5천만 원 초과액의	9/10,000
1억 원 초과	3억 원까지	145,000원	+	1억 원 초과액의	8/10,000
3억 원 초과	5억 원까지	305,000원	+	3억 원 초과액의	6/10,000
5억 원 초과	10억 원까지	425,000원	+	5억 원 초과액의	5/10,000
10억 원 초과	20억 원까지	675,000원	+	10억 원 초과액의	4/10,000
20억 원 초과	100억 원까지	1,075,000원	+	20억 원 초과액의	4/10,000
100억 원 초과		4,275,000원	+	100억 원 초과액의	1/10,000

Ⅵ. 경매·공매 사건의 보수

1. 재산취득에 관한 상담(권리분석, 현황 내지 공부 등의 조사, 적정매수 가격의 제시, 정보제공 등을 포함)

감정가액		기본보수(산정방법)			
	5천만 원까지	400,000원			
5천만 원 초과	1억 원까지	400,000원	+	5천만 원 초과액의	9/1,000
1억 원 초과	3억 원까지	850,000원	+	1억 원 초과액의	8/1,000
3억 원 초과	5억 원까지	2,450,000원	+	3억 원 초과액의	7/1,000
5억 원 초과	10억 원까지	3,850,000원	+	5억 원 초과액의	6/1,000
10억 원 초과	20억 원까지	6,850,000원	+	10억 원 초과액의	4/1,000
20억 원 초과	100억 원까지	10,850,000원	+	20억 원 초과액의	2/1,000
100억 원 초과		26,850,000원	+	100억 원 초과액의	1/1,000

2. 매수(입찰)신청의 대리(매수(입찰)신청의 대리에 있어서 공부의 열람, 확인 등을 포함)

	기본보수
매수(입찰)신청의 대리	감정가액의 1% 이하 또는 최저매각가격의 1.5% 이하의 범위 내에서 위임인과 협의. 단, 최고가매수신고인 또는 매수인으로 되지 못한 경우에는 500,000원의 범위 내에서 위임인과 협의

Ⅶ. 송무·비송·집행사건의 보수

1. 법원·검찰청 등에 제출하는 각종 서류 중 문안을 요하는 서류의 작성

(1) 소장, 답변서, 준비서면, 증거신청서, 화해신청서, 고소·고발장, 항고·상소이유서, 보전처분·집행·비송사건의 신청서, 개인회생절차의 개시신청서·변제계획안 작성·채권조사확정재판 신청서·면책 또는 면책취소 신청서, 개인파산의 파산신청서·면책신청서, 지급명령, 조정 신청서

※ 소송물가액이 없거나 산정할 수 없는 경우에는 5천만 원으로 본다.

소송물가액		기본보수(산정방법)			
	2천만 원까지	400,000원			
2천만 원 초과	1억 원까지	400,000원	+	2천만 원 초과액의	10/10,000
1억 원 초과	5억 원까지	480,000원	+	1억 원 초과액의	9/10,000
5억 원 초과	10억 원까지	840,000원	+	5억 원 초과액의	4/10,000
10억 원 초과	20억 원까지	1,040,000원	+	10억 원 초과액의	3/10,000
20억 원 초과		1,340,000원	+	20억 원 초과액의	1/10,000

(2) 항고·상소장, 공시최고·소송비용확정신청서, 민사·가사·형사·소년신청(보전신청 제외) 기타 문안을 요하는 서류

※ 소송물가액이 없거나 산정할 수 없는 경우에는 5천만 원으로 본다.

소송물가액		기본보수(산정방법)			
	2천만 원까지	180,000원			
2천만 원 초과	1억 원까지	180,000원	+	2천만 원 초과액의	1/10,000
1억 원 초과	5억 원까지	188,000원	+	1억 원 초과액의	5/10,000
5억 원 초과	10억 원까지	388,000원	+	5억 원 초과액의	4/10,000
10억 원 초과	20억 원까지	588,000원	+	10억 원 초과액의	2/10,000
20억 원 초과		788,000원	+	20억 원 초과액의	1/10,000

2. 법원·검찰청 등에 제출하는 각종 서류 중 문안을 요하지 않는 서류의 작성

문안을 요하지 않는 서류의 작성(1건당)	기본보수
기일변경·지정의 신청서, 판결확정·송달증명의 신청서, 집행문부여신청서 및 정식재판청구서, 도면 등	30,000원

Ⅷ. 기타 대행업무 등의 보수		
대행 업무의 유형	적용 기준	대행료
1. 등기원인증서의 작성 또는 검인, 부동산거래의 신고 등 대행	1건당	40,000원
2. 취득세・등록면허세의 신고・납부 또는 감면신청 및 공과금 납부 대행	1건당	40,000원
3. 국민주택채권의 매입 또는 즉시매도 대행	1건당	40,000원
4. 등기원인에 대한 제3자의 허가(신고 포함)・동의・승낙 또는 등기상 이해관계인의 승낙에 관한 서류 작성 대행	종류마다	40,000원
5. 정관, 의사록, 내용증명 그 밖의 문안을 요하는 서류의 작성 대행	종류마다	60,000원
6. 제5호의 서류나 그 밖의 서류에 대한 공증 대행	종류마다	40,000원
7. 법인인감카드의 발급 대행	1건당	40,000원
8. 법원・검찰청 등에 제출하는 서류의 제출 대행	1건당	30,000원
9. 송무・비송・집행・가사 사건 등의 기록열람 대행	1건당	40,000원
10. 법원・검찰청으로부터 송달되는 서류의 영수 대행	1건당	50,000원
11. 확정일자 날인, 내용증명의 발송 대행	1건당	50,000원
12. 등기사항증명서 발급・열람, 등기부등초본・열람 대행	1건당	3,000원
13. 그 밖에 수임사건과 관련되는 업무의 대행	1건당	30,000원

Ⅸ. 상담 및 실비변상의 비용 등	
1. 상담	기본보수
(1) 개별적 상담(사건 수임이 따르는 경우는 제외)	30분까지 50,000원 (단, 30분을 초과하는 매 30분마다 20,000원씩 가산)
(2) 계속적 상담(사건 수임으로 연결되는 경우도 포함)	월액 500,000원
2. 실비변상의 비용 등	기본보수
(1) 교통비	1등급 여객운임(택시, KTX일반석) 기준 실비 (단, 현지교통비는 50,000원까지)
(2) 숙박비	1급 숙박업소 기준 실비
(3) 일당	소요시간 4시간 이내 70,000원, 4시간 초과 150,000원
※ 「법무사보수기준」에 의한 법무사의 보수에는 부가가치세가 포함되지 아니하다.	

참 고

- 동일인 보증서 작성 150,000원, 본인확인서면 작성 100,000원 가산(「법무사보수기준」 제10조 제5항)
- 기타 가산, 감액 등 특례는 「법무사보수기준」 참조

Part

04

법인전환과 영업권

1. 영업권의 개념
2. 영업권의 평가
3. 영업권의 세무처리
4. 예규 및 판례

Part 04 법인전환과 영업권

1 영업권의 개념

조그만 가게를 하다가도 가게를 넘기게 되면 권리금 명분으로 당초 시설비 등을 보전받고 장사가 잘 되었다면 웃돈까지 받고 가게를 넘기게 된다. 이를 권리금이라 하고 세법상으로 영업권이라고 한다. 개인사업자가 사업 관련된 권리와 의무를 포괄적으로 넘기게 되면 세법상으로 영업권이라는 것을 필수적으로 인식하게 되어 있다. 사업을 양수하는 입장에서 양도자가 잘 모르는 타인이라면 영업권에 대한 대가가 양 당사자가 합의한 합리적인 시세로 결정이 되지만 실질적으로 동일인이거나 특수관계인이라면 세법에서는 해당 영업권에 대한 평가를 필수적으로 요구하며, 이러한 영업권에 대해서 평가를 하지 않고 법인사업자에게 사업을 넘기게 되면 권리의 무상양도로 보아 기타소득으로 보아 과세를 할 수 있다.

2 영업권의 평가

(1) 상속세 및 증여세법

영업권의 평가는 다음 산식에 의하여 계산한 초과이익 금액을 평가기준일 이후의 영업권지속연수(원칙적으로 5년으로 한다)를 감안하여 기획재정부령이 정하는 방법에 의하여 환산한 가액에 의한다. 다만, 매입한 무체재산권으로서 그 성질상 영업권에 포함시켜 평가되는 무체재산권의 경우에는 이를 별도로 평가하지 아니하되, 당해 무체재산권의 평가액이 환산한 가액보다 큰 경우에는 당해 가액을 영업권의 평가액으로 한다.

[최근 3년간(3년에 미달하는 경우에는 당해 연수로 한다)의 순손익액 가중평균액의 100분의 50에 상당하는 가액-(평가기준일 현재의 자기자본×1년 만기정기예금이자율

을 감안하여 기획재정부령이 정하는 율)]

개인으로서 경영하는 사업체의 영업권을 평가하는 경우 평가기준일 전 최근 3년간의 순손익액의 가중평균액을 계산할 때 「법인세법」상 각 사업연도 소득은 「소득세법」상 종합소득금액으로 본다. "평가기준일 현재의 자기자본"이라 함은 해당 법인의 총자산가액에서 부채를 뺀 가액을 말하며, 이 경우 영업권은 자산가액에 포함하지 아니한다.

영업권을 평가함에 있어서 제시한 증빙에 의하여 자기자본을 확인할 수 없는 경우에는 다음 각 호의 산식에 의하여 계산한 금액 중 많은 금액으로 한다.

1. 사업소득금액 ÷ 「소득세법 시행령」 제165조 제10항 제1호에서 규정하는 자기자본이익률
2. 수입금액 ÷ 「소득세법 시행령」 제165조 제10항 제2호에서 규정하는 자기자본회전율

(2) 감정평가

영업권을 감정평가할 때에는 수익환원법을 적용하여야 한다. 다만, 수익환원법으로 감정평가하는 것이 곤란하거나 적절하지 아니한 경우에는 거래사례비교법이나 원가법으로 감정평가할 수 있다.

수익환원법이란 대상물건이 장래 산출할 것으로 기대되는 순수익이나 미래의 현금흐름을 환원하거나 할인하여 대상물건의 가액을 산정하는 감정평가방법을 말한다.

수익환원법으로 감정평가할 때에는 직접환원법이나 할인현금흐름분석법 중에서 감정평가 목적이나 대상물건에 적절한 방법을 선택하여 적용한다. 다만, 부동산의 증권화와 관련한 감정평가 등 매기의 순수익을 예상해야 하는 경우에는 할인현금흐름분석법을 원칙으로 하고 직접환원법으로 합리성을 검토한다.

할인현금흐름분석법은 대상물건의 보유기간에 발생하는 복수기간의 순수익(이하 "현금흐름"이라 한다)과 보유기간 말의 복귀가액에 적절한 할인율을 적용하여 현재가치로 할인한 후 더하여 대상물건의 가액을 산정하는 방법을 말한다.

3 영업권의 세무처리

(1) 부가가치세

1) 세금계산서 발행

사업용자산 및 사업관련 의무(부채), 인적시설(종업원)을 포괄적으로 양도하지 않고 설비(사업용자산)만을 양도하는 경우 사업의 양도에 해당되지 않는 것으로 설비(사업용자산)에 대하여 세금계산서를 발급하여야 한다.

법인에게 유상 양도한 경우 영업권 공급시기에 세금계산서를 발급하여야 한다.

2) 세금계산서 미발행

사업의 양도라 함은 사업장별로 그 사업에 관한 모든 권리와 의무를 포괄적으로 승계시키는 것을 말하는 것으로, 개인사업장과 관련한 모든 권리와 의무를 포괄적으로 양도하여 법인전환한 경우라면 사업의 포괄양도로 볼 수 있으며, 개인사업자가 당해 사업에 대한 영업권을 평가하여 사업을 양수받는 법인으로부터 사업양도 대가와 함께 지급받는 경우에도 사업의 포괄양도에 해당하여 부가가치세가 과세되지 않는다.

(2) 양도소득세

소득세법 제94조 제1항 제4호 가목에 의거, 사업용 고정자산인 토지, 건물 및 부동산에 관한 권리와 함께 양도하는 영업권(영업권을 별도로 평가하지 아니하였으나 사회통념상 자산에 포함되어 함께 양도된 것으로 인정되는 영업권과 행정관청으로부터 인가·허가·면허 등을 받음으로써 얻는 경제적 이익을 포함한다)인 경우에는 양도소득세 과세대상에 해당한다.

(3) 종합소득세

기타소득의 수입 시기는 그 대금을 청산한 날, 자산을 인도한 날 또는 사용·수익일 중 빠른 날이다. 다만, 대금을 청산하기 전에 자산을 인도 또는 사용·수익하였으나 대금이 확정되지 아니한 경우에는 그 대금 지급일로 한다.

기타소득을 지급하는 원천징수의무자는 이를 지급할 때에 그 기타소득의 금액과 그 밖의 필요한 사항을 적은 기획재정부령으로 정하는 원천징수영수증을 그 소득을 받는 사람에게 발급하여야 한다.

(4) 원천징수

영업권을 양수하는 자가 영업권의 대가(기타소득에 해당됨)를 영업권을 양도한 자에게 지급할 때는 기타소득세 및 지방소득세를 원천징수해야 한다.

소득세가 원천징수되지 아니한 소득이 종합소득에 합산되어 종합소득에 대한 소득세가 과세된 경우에 그 소득을 지급할 때에는 소득세를 원천징수하지 아니한다.

(5) 법인 감가상각

감가상각자산의 범위상 영업권에는 다음 각 호의 금액이 포함되는 것으로 한다.

① 사업의 양도·양수과정에서 양도·양수자산과는 별도로 양도사업에 관한 허가·인가 등 법률상의 지위, 사업상 편리한 지리적 여건, 영업상의 비법, 신용·명성·거래선 등 영업상의 이점 등을 감안하여 적절한 평가방법에 따라 유상으로 취득한 금액
② 설립인가, 특정사업의 면허, 사업의 개시 등과 관련하여 부담한 기금·입회금 등으로서 반환청구를 할 수 없는 금액과 기부금 등

사업상 편리한 지리적 여건, 위치 등 영업상의 이점 등을 감안하여 상관행상 적절하다고 인정되는 평가방법에 따라 유상으로 지급한 금액은 영업권으로 보아 감가상각을 할 수 있는 것으로, 기준내용연수는 「법인세법 시행규칙」【별표3】의 규정에 따라 5년을 내용연수로 하여 정액법으로 상각을 해야 한다.

또한 기중에 영업권을 취득한 경우 유형 자산의 감가상각비 상각 범위액 계산 시와 마찬가지로 사업에 사용한 날부터 당해 사업연도 종료일까지의 월수에 따라 계산해야 한다.

4 예규 및 판례

(1) 사업의 포괄양수도 이후 금액이 확정되는 영업권의 자산 인식시기

[요 지]

내국법인이 사업의 양수과정에서 양수자산과는 별도로 그 사업에 관한 영업상의 비법, 이점 등을 감안하여 적절한 평가방법에 따라 유상으로 취득하기로 한 금액으로서 그 가액이 사업양수일 이후에 확정되는 경우에는 그 금액이 확정되는 시점에 영업권으로 계상할 수 있는 것임.

[답변내용]

내국법인이 사업의 양수과정에서 양수자산과는 별도로 그 사업에 관한 영업상의 비법, 신용·명성·거래선 등 영업상의 이점 등을 감안하여 적절한 평가방법에 따라 유상으로 취득하기로 한 금액으로서 그 가액이 사업양수일 현재 진행 중인 건설용역계약의 체결 여부에 따라 추후에 확정되는 경우에는 그 금액이 확정되는 시점에 법인세법 시행령 제24조 제1항 제2호 가목에 따른 영업권으로 계상할 수 있는 것임.

(2) 휴대폰소매업을 영위하는 사업자가 영업권을 양도하는 경우에는 부가가치세가 과세되는 것이며 사업의 포괄양도인지는 양도시점에 사실 판단할 사항임

[질 의]

(사실관계)

- 휴대폰판매업을 영위하는 개인사업자가 영업권만을 먼저 양도하고 차후에 재고자산, 외상매출채권, 외상매입금 등의 자산과 부채를 포괄적으로 양도하고자 함.
- 영업권이라 함은 휴대폰사업을 영위하면서 확보한 가입자 수에 따른 가입자 통화료에 대하여 일정비율만큼 이동통신사로부터 수수료를 획득할 수 권리임.
- 한편, 영업권을 인수한 자는 영업권 양도자가 아닌 제3자로부터 재고자산 등을 구입하여 사업을 영위할 수도 있음.

(질의사항)

상기의 경우 재화의 공급으로 보지 아니하는 사업양도에 해당하는지 여부

[회 신]

휴대폰소매업을 영위하는 사업자가 영업권을 양도하는 경우에는 「부가가치세법」 제1조 제1

항의 규정에 의하여 부가가치세가 과세되는 것이며, 당해 사업자가 사업을 양도하는 경우 재화의 공급으로 보지 아니하는 사업의 포괄 양도·양수에 해당하는지 여부는 사업의 실질적 양도·양수시점을 기준으로 하여 사실판단할 사항임.

[소득세 분야]

개인사업자가 법인으로 전환하면서 영업권을 평가하여 법인으로부터 영업권의 양도대가를 받는 경우 해당 영업권의 양도대가는 소득세법 제21조 제1항 제7호의 기타소득으로 소득세가 과세되는 것이므로, 법인의 경우 영업권의 양도대가 지급 시 80%를 필요경비로 차감한 금액의 22%(지방소득세 포함, 간단히 양도대가의 4.4%)를 원천징수하여 다음 달 10일까지 원천세 신고 및 납부를 해야 할 것이며, 다음 연도 2월 말까지 기타소득지급명세서도 제출해야 할 것입니다. 반면, 해당 영업권이 사업용 고정자산(토지, 건물)과 함께 양도된 경우에는 기타소득이 아닌 양도소득으로 과세됨에 유의하시기 바랍니다.

[관련법령]

소득세법 제21조【기타소득】

① 기타소득은 이자소득·배당소득·사업소득·근로소득·연금소득·퇴직소득 및 양도소득 외의 소득으로서 다음 각 호에서 규정하는 것으로 한다. 〈2009. 12. 31. 개정〉

7. 광업권·어업권·산업재산권·산업정보, 산업상비밀, 상표권·영업권(대통령령으로 정하는 점포 임차권을 포함한다), 토사석(土砂石)의 채취허가에 따른 권리, 지하수의 개발·이용권, 그 밖에 이와 유사한 자산이나 권리를 양도하거나 대여하고 그 대가로 받는 금품 〈2009. 12. 31. 개정〉

(3) 현물출자 시 영업권 관련 부당행위계산부인규정 적용대상 여부

[요 지]

법인이 단독으로 현물출자하여 100% 지분을 소유하는 경우로서 영업권 대가를 받지 않은 경우에는 부당행위계산의 부인규정이 적용되지 아니하는 것임.

[회 신]

법인이 특수관계에 있는 다른 법인에게 특정사업부분을 현물출자하면서 당해 사업부분의 초과수익력(영업권)에 대해 적정한 대가를 받지 아니하는 경우 「법인세법」 제52조의 규정에 의한 부당행위계산의 부인규정이 적용될 수 있는 것이나, 당해 법인이 단독으로 현물출자를 통하여 100% 지분을 소유하는 경우에는 부당행위계산의 부인규정이 적용되지 아니하는 것입니다.

(4) 영업권 평가관련 세무조사 후 1개의 감정평가법인에서 소급 감정한 가액을 시가로 인정한 사례

[제 목]

영업권 평가관련 세무조사 후 1개의 감정평가법인에서 소급 감정한 가액을 시가로 인정한 사례

[요 지]

법인이 특수관계에 있는 개인사업체를 포괄적으로 인수하면서 자체적으로 평가하여 지급한 영업권가액을 시가로 볼 수 없다 하여 「상속세 및 증여세법」상의 보충적 평가방법에 의한 평가액보다 초과한 금액을 부인한 데 대하여 세무조사 후에 1개의 감정평가법인에서 소급 감정한 가액을 시가로 인정한 사례

[판 단]

처분청은 1개의 감정평가기관에만 감정을 의뢰함으로써 2 이상의 공신력 있는 감정기관이 평가한 감정가액의 평균액을 산정하도록 한 「상속세 및 증여세법 시행령」 제49조 제1항에 의한 공신력 있는 감정가액으로 인정하기가 어렵다는 의견을 제시하고 있으나, (주)○○감정평가법인은 「지가공시 및 토지 등의 평가에 관한 법률」에 의한 감정평가법인에 해당하는 점, (주)○○감정평가법인이 감정·평가한 법적근거, 평가방법, 현금흐름의 추정 등에 대하여 살펴보면, 감정평가업자가 감정평가를 함에 있어서 준수하여야 할 원칙과 기준을 정하고 있는 국토해양부령인 「감정평가에 관한 규칙」에서 규정하고 있는 평가방법인 수익환원법을 사용하면서 영업권 지속연수를 5년으로 적용하고 가격시점 1년 후의 현금흐름을 현재가치로 계산시 적용한 할인율을 11.93%를 적용한 것은 「상속세 및 증여세법」상의 영업권 지속연수 5년(「기업인수·합병 등에 관한 회계처리준칙」에서는 영업권의 지속연수한도를 20년으로 규정하고 있음)과 할인율 10%에 비하면 과대평가된 것으로는 보이지 않는 점, 대형할인마트 내에 안경점은 지리적인 여건, 명성 등에 있어서 다른 로드샵보다는 유리하여 개설이 용이하지 않다는 사실을 부인할 수 없는 점, 법인전환 후의 영업이익이 법인전환 전 영업이익보다 1,998%(○○본점) 증가하고, ○○점의 경우 법인전환 전에는 결손이 발생하였는데 법인전환 후에는 영업이익이 발생한 점 등을 고려하면 (주)○○감정평가법인이 감정한 감정가액 436,143,000원(○○본점 229,996,000원, ○○점 206,147,000원)을 시가로 볼 수 있어 시가를 7,867,4790원(○○본점 '0'원, ○○점 7,867,490원)으로 보아 영업권 및 영업권 감가상각비를 부인한 이 건 처분은 잘못이 있는 것으로 판단된다.

(5) 법인전환하면서 장기할부판매조건으로 공급하는 영업권에 대한 부가가치세 적용 방법 등

[요 지]

장기할부판매조건으로 양도하는 영업권은 대가의 각 부분을 받기로 한 때 또는 그 공급시기 도래 전에 선발행세금계산서를 발급할 수 있으며, 자기의 과세사업과 관련하여 수취한 세금계산서상의 매입세액은 공제가능한 것임.

[답변내용]

개인사업자가 제조업에 사용하던 토지 및 공장건물을 제외한 모든 자산과 부채를 포괄적으로 승계하는 방식으로 법인전환하면서 영업권을 별도 평가하여 신설법인에 「부가가치세법 시행규칙」 제17조에 따른 장기할부판매조건으로 양도하는 경우 같은 법 시행령 제28조 제3항 제1호에 따라 대가의 각 부분을 받기로 한 때를 공급시기로 하여 세금계산서를 발급하여야 하는 것입니다. 다만, 해당 공급시기가 도래하기 전에 세금계산서를 발급하는 경우에는 그 발급하는 때가 공급시기가 되는 것임. 또한 사업을 양수한 법인사업자가 자기의 사업을 위하여 사용하였거나 사용할 목적으로 공급받은 재화(영업권)에 대한 부가가치세액은 자기의 매출세액에서 공제할 수 있는 것임.

[관련법령]

부가가치세법 제9조【재화의 공급】

(6) 법인전환에 따른 이월과세 신청한 양도물건이 명의신탁재산으로 확인된 경우

[제 목]

법인전환에 따른 이월과세 신청한 양도물건이 명의신탁재산으로 확인된 경우 명의수탁자가 이미 신청한 이월과세신청 효력의 유효 여부

[요 지]

거주자가 명의신탁한 부동산을 양도한 후 명의수탁자 명의로 법정 신고기한에 양도소득세를 신고하고 이월과세적용신청서를 제출한 경우로서 명의신탁 사실이 확인되어 실제 소유자에게 양도소득세를 부과하는 경우 해당 양도소득세 상당액은 같은 법 제32조에 따른 이월과세를 적용받을 수 없는 것임.

[회 신]

위 과세기준자문 신청의 사실관계와 같이, 거주자가 명의신탁한 부동산을 양도한 후 명의수탁자 명의로 법정 신고기한에 양도소득세를 신고하고 「조세특례제한법」 제32조 제1항 및 같은 법 시행령 제29조 제4항에 따라 이월과세적용신청서를 납세지 관할 세무서장에게 제출한 경우로서 명의신탁 사실이 확인되어 실제 소유자에게 양도소득세를 부과하는 경우 해당 양도소득세 상당액은 같은 법 제32조에 따른 이월과세를 적용받을 수 없는 것입니다.

[관련법령]

조세특례제한법 제32조【법인전환에 대한 양도소득세의 이월과세】

Part

05

법인전환과 가업승계

1. 가업상속공제
2. 가업승계에 따른 증여세 과세특례
3. 창업자금에 대한 증여세 과세특례

Part 05 법인전환과 가업승계

통상 개인사업자를 운영하다가 규모가 커지게 되면 법인사업자로 법인전환을 하고, 법인전환 이후 20~30년 이상 운영하게 되면 자녀 등에게 가업의 승계를 걱정하게 된다. 국가에서는 지속적인 강소기업의 유지발전을 위해서 가업상속공제와 가업승계주식증여특례, 창업자금증여특례 등의 규정을 운영 중에 있다. 하지만 까다로운 요건과 사후관리로 인해서 그 신청률이 저조한 것이 사실이다.

현 시대의 어려운 경제상황을 개선하고 신청이 저조한 가업상속관련 제도를 개정하고 있고 최근 가업상속공제의 사후관리 요건 중 가장 문제가 되었던 10년간 사후관리를 7년으로 개정함으로써 가업상속 제도의 활성화에 의지를 보이고 있다. 가업상속공제 후 고용유지 의무 관련 근로자 인원 기준 외에 총 급여액 기준을 선택적으로 적용할 수 있도록 함으로써 보다 완화된 가업상속공제 요건으로 개정되어 가업상속공제에 대해 재검토할 필요가 있다. 그리고 급변하는 산업변경에 대응하는 중소기업의 업종변경에 대해서 중분류 내 업종변경을 허용하고 전문가 위원회 심의를 거쳐 중분류 외 변경도 허용하고 있다.

또한 상대적으로 금액이 작은 가업승계주식에 대한 증여특례 한도 금액에 대한 상향 논의가 있으므로, 그 어느 때보다 활용가능성이 높아지고 있는 가업상속공제나 가업승계 주식증여특례에 대한 관심을 가져야 한다.

개인사업자 법인전환 이후 향후 상속이나 증여까지 이어지는 개인사업자, 법인사업자의 가업상속공제, 법인사업자의 주식증여특례 제도의 주요사항과 자녀가 새로운 창업을 할 때 사용하는 창업자금증여특례에 대해서도 알아보자.

1 가업상속공제

가업상속공제는 개인사업자, 법인사업자 모두 가능은 하지만 그 적용범위에서 일부 차이를 보이고 있다. 우선 기본적으로 가업상속공제는 피상속인이 10년 이상 계속하여 경영한 중소기업 등을 상속인(상속인의 배우자 포함) 1인이 승계하면, 가업상속재산가액의 100%(최대 500억 원)를 상속 공제함으로써 중소기업 등의 원활한 가업승계를 지원하는 제도이다. 다만, 사후관리 차원에서 7년 동안 승계받은 가업을 실제 경영했는지 매년 점검해 위반사항을 발견하는 경우 상속세를 추징한다.

(1) 가업상속공제액의 계산

1) 가업상속공제액은 가업상속재산가액 전액(200~500억 원 한도)으로, 피상속인의 가업영위기간에 따라 상속공제 한도액이 다르다.
   - 10년 이상: 200억 원, 20년 이상: 300억 원, 30년 이상: 500억 원

2) '가업상속재산'이란, 아래의 가업상속재산가액에 상당하는 금액을 말한다.
   - 개인가업: 상속재산 중 가업에 직접 사용되는 토지, 건축물, 기계장치 등 사업용 자산의 가액에서 해당 자산에 담보된 채무액을 뺀 가액
   - 법인가업: 상속재산 중 가업에 해당하는 법인의 주식·출자지분(사업무관 자산 비율 제외)
   - 가업상속재산(법인가업)
     = 상증법상 주식평가액×[1-(사업무관 자산가액/총자산가액)]
   - 사업무관자산(상속개시일 현재)
     ① 법인세법 제55조의2(비사업용 토지 등)에 해당하는 자산
     ② 법인세법 시행령 제49조(업무무관자산) 및 타인에게 임대하고 있는 부동산
     ③ 법인세법 시행령 제61조 제1항 제2호(대여금)에 해당하는 자산
     ④ 과다보유 현금(상속개시일 직전 5개 사업연도 말 평균 현금 보유액의 150% 초과)

⑤ 법인의 영업활동과 직접 관련이 없이 보유하고 있는 주식, 채권 및 금융상품(과다보유현금 제외)

(2) 가업요건

상속개시일이 속하는 소득세 과세기간 또는 법인세 사업연도의 직전 소득세 과세기간 또는 법인세 사업연도 말 현재, 다음 각 호의 요건을 모두 갖춘 중소기업일 것

① 별표에 따른 업종을 주된 사업으로 영위할 것
② 조세특례제한법 시행령 제2조 제1항 제1호 및 제3호의 요건을 충족할 것
③ 자산총액이 5천억 원 미만일 것

또는 상속개시일이 속하는 소득세 과세기간 또는 법인세 사업연도의 직전 소득세 과세기간 또는 법인세 사업연도 말 현재, 다음 각 호의 요건을 모두 갖춘 중견기업일 것

① 별표에 따른 업종을 주된 사업으로 영위할 것
② 조세특례제한법 시행령 제9조 제4항 제1호 및 제3호의 요건을 충족할 것
③ 상속개시일의 직전 3개 소득세 과세기간 또는 법인세 사업연도의 매출액(매출액은 기획재정부령으로 정하는 바에 따라 계산하며, 소득세 과세기간 또는 법인세 사업연도가 1년 미만인 소득세 과세기간 또는 법인세 사업연도의 매출액은 1년으로 환산한 매출액을 말한다)의 평균금액이 3천억 원 미만인 기업일 것

(3) 피상속인 요건

① 중소기업 또는 중견기업의 최대주주 등인 경우로서 피상속인과 그의 특수관계인의 주식 등을 합하여 해당 기업의 발행주식 총수 등의 100분의 50[자본시장과 금융투자업에 관한 법률 제8조의2 제2항에 따른 거래소(이하 "거래소"라 한다)에 상장되어 있는 법인이면 100분의 30] 이상을 10년 이상 계속하여 보유할 것

〈개정〉

최대주주 등의 요건 적용 시 가업승계에 따라 주식 전부를 증여하여 최대주주 등이 아니게 된 경우 포함한다.

② 법 제18조 제2항 제1호에 따른 가업(이하 "가업"이라 한다)의 영위기간 중 다음의 어느 하나에 해당하는 기간을 대표이사(개인사업자인 경우 대표자를 말한다. 이하 이 조 및 제16조에서 "대표이사 등"이라 한다)로 재직할 것

- 100분의 50 이상의 기간
- 10년 이상의 기간(상속인이 피상속인의 대표이사 등의 직을 승계하여 승계한 날부터 상속개시일까지 계속 재직한 경우로 한정한다)
- 상속개시일부터 소급하여 10년 중 5년 이상의 기간

(4) 상속인 요건

상속인의 배우자가 다음 각 목의 요건을 모두 갖춘 경우에는 상속인이 그 요건을 갖춘 것으로 본다.

① 상속개시일 현재 18세 이상일 것

② 상속개시일 전에 2년 이상 직접 가업에 종사(상속개시일 2년 전부터 가업에 종사한 경우로서 상속개시일부터 소급하여 2년에 해당하는 날부터 상속개시일까지 기간 중 제8항 제2호 다목에 따른 사유로 가업에 종사하지 못한 기간이 있는 경우에는 그 기간은 가업에 종사한 기간으로 본다)하였을 것. 다만, 피상속인이 65세 이전에 사망하거나 천재지변 및 인재 등 부득이한 사유로 사망한 경우에는 그러하지 아니하다.

③ 상속세 과세표준 신고기한까지 임원으로 취임하고, 상속세 신고기한부터 2년 이내에 대표이사 등으로 취임할 것

(5) 사후관리

1) 가업상속공제의 사후관리

가업상속공제를 적용받았다 하더라도 가업상속인이 상속개시 이후에 세법에서 정한 사후의무요건을 이행하지 아니한 경우에는 '공제받은 금액'에 '사후의무 위반기간에 따른 추징률'을 곱한 금액을 상속개시 당시의 상속세 과세가액에 다시 산입하여 상속세를 다시 계산하여 납부하여야 한다.

※ 2017. 1. 1. 이후 개시하는 과세기간 또는 사업연도분부터 적용

이 경우 사유발생일이 속하는 달의 말일부터 6개월 이내에 가업상속공제 사후관리추징사유신고 및 자진납부계산서를 납세지 관할 세무서장에게 제출하고 해당 상속세와 이자상당액을 납세지 관할 세무서, 한국은행 또는 체신관서에 납부하여야 한다.

※ 이미 상속세와 이자상당액이 부과되어 납부된 경우에는 해당되지 아니함.

이자상당액 = 사후관리 위반에 따른 상속세액×당초 상속받은 가업상속재산에 대한 상속세 과세표준 신고기한의 다음 날부터 해당사유 발생일까지 일수×상속세 부과 당시 국기법 시행령 제43조의3 제2항에 따른 이자율(현재 2.1%) / 365

세무서장은 가업상속 이후 가업상속인이 세법에서 정한 사후의무 이행 요건을 적법하게 이행하였는지를 매년 점검하여 위반사항이 발견되면 이미 공제받은 가업상속공제액은 부인하고 상속세를 부과하고 있다.

■ 가업상속공제 후 사후관리위반 시 추징비율 조정(상증령 §15⑮)

현 행	개 정
□ 사후관리의무위반 시 추징률	□ 사후관리기간 단축(10년 → 7년)에 따른 연도별 추징비율 조정

현행:

기간	율
7년 미만	100분의 100
7년 이상 8년 미만	100분의 90
8년 이상 9년 미만	100분의 80
9년 이상 10년 미만	100분의 70

개정:

기간	율
5년 미만	100분의 100
5년 이상 7년 미만	100분의 80

〈개정이유〉

사후관리기간 단축에 따른 기간별 추징률 조정

〈적용시기〉

'20. 1. 1. 이후 상속이 개시되는 분부터 적용

2) 가업상속인의 사후의무 이행 위반사유

'사후의무 이행 위반사유'란, 가업상속인이 상속개시일부터 7년 이내에 정당한 사유 없이 다음 중 어느 하나의 위반 사항에 해당하는 경우를 말한다.

① 해당 가업용 자산의 20%(상속개시일부터 5년 이내에는 10%) 이상을 처분한 경우

- 가업용 자산의 처분비율
  = [가업용 자산 중 처분(사업에 사용하지 않고 임대하는 경우를 포함)한 자산의 상속개시일 현재의 가액]÷상속개시일 현재 가업용 자산의 가액
- '가업용 자산'이란 개인가업은 상속재산 중 가업에 직접 사용되는 토지, 건축물, 기계장치 등 사업용 자산, 법인가업은 가업법인의 사업에 직접 사용되는 사업용 고정자산(사업무관자산은 제외)

② 해당 상속인이 가업에 종사하지 아니하게 된 경우

- 상속인이 대표이사 등으로 종사하지 아니하는 경우
- 가업의 주된 업종을 변경하는 경우(한국표준산업분류에 따른 세분류 또는 일정 요건을 충족하여 소분류 내에서 업종을 변경하는 경우는 제외)
  * 2020년부터는 소분류 내 변경에서 중분류 내 변경으로 개정
- 다만, 상속개시일이 현재 영위하고 있는 업종의 매출액이 사후관리 기간 중 매년 사업연도 종료일을 기준으로 100분의 30 이상을 유지하는 경우는 소분류 내에서 업종 전환이 가능하다.
- 해당 가업을 1년 이상 휴업(실적이 없는 경우를 포함)하거나 폐업하는 경우

■ 가업상속공제 후 자산 및 업종유지의무 완화(상증령 §15⑧)

현 행	개 정
□ 가업상속공제 후 사후관리 • 업종 유지 – 표준산업분류상 소분류 내 업종변경 허용 * 기존 세분류 기준 매출액 30% 이상 필요	□ 사후관리 완화 • 업종 유지 요건 완화 – 중분류 내 업종변경 허용 – 전문가 위원회 심의*를 거쳐 중분류 외 변경 허용 * (위원회 구성) 국세청 평가심의위원회에 업종 전문가를 추가하여 심의 (고려사항) 기존 기술 활용 및 기존 고용인력 승계 가능성 등
• 자산유지 – 가업용 자산 20% 이상 처분(5년 내 10%) 금지 – 예외적 처분 허용 · 수용, 시설의 개체, 사업장 이전 등 처분·대체취득 시, 내용연수 도달 자산 등 〈추 가〉	• 자산 처분 허용범위 확대 – (좌 동) – 예외적 처분 허용사유 추가 · 업종변경 등에 따른 자산 처분 후 변경업종 자산을 대체취득한 경우 · 자산처분금액을 연구인력개발비로 사용

〈개정이유〉

사후관리부담을 완화하여 가업상속공제제도 실효성 제고

– (업종변경 범위 확대) 기업환경이 빠르게 변화하고 있는 점 등을 고려하여, 기업의 유연한 대응을 지원

– (자산유지의무 완화) 업종변경 등 사업 여건 변화에 따라 기존 자산의 처분 및 신규 자산의 취득 필요성이 발생

③ 주식 등을 상속받은 상속인의 지분이 감소된 경우

– 다만, 상속인이 상속받은 주식 등을 물납하여 지분이 감소한 경우는 제외하되, 이 경우에도 최대주주나 최대출자자에 해당해야 한다.

– 상속인이 상속받은 주식 등을 처분하는 경우

– 유상증자 시 상속인이 실권하여 지분율이 감소되는 경우

– 상속인과 특수관계에 있는 자가 주식 등을 처분하거나 유상증자 시 실권하여 상속인이 최대주주 등에 해당하지 아니하게 된 경우

④ 각 소득세 과세기간 또는 법인세 사업연도의 정규직 근로자 수의 평균이 기준고용인원의 100분의 80에 미달하는 경우(매년 판단)

– 정규직 근로자 수의 평균 = (각 소득세 과세기간 또는 법인세 사업연도의 매월 말일 현재의 정규직 근로자 수의 합) / (해당 소득세 과세기간 또는 법인세 사업연도의 월수)

– 기준고용인원: 상속이 개시된 소득세 과세기간 또는 법인세 사업연도의 직전 2개 소득세 과세기간 또는 법인세 사업연도의 정규직 근로자 수의 평균

■ 가업상속공제 정규직 근로자 고용유지의무 기준 변경(상증법 §18)

<table>
<tr><th>현 행</th><th>개 정</th></tr>
<tr>
<td>□ 가업상속공제 후 고용유지의무 판단 시 '정규직 근로자' 기준
• 통계청 '경제활동인구조사'의 '정규직 근로자'*
* 비정규직 근로자(한시적, 시간제, 비전형근로자)를 제외한 임금 근로자</td>
<td>□ '정규직 근로자' 판단 기준 변경
• 조특법(고용증대세제)에 따른 '상시 근로자' 준용
* 근로기준법에 따른 근로계약 체결 근로자 중 이하 제외
– 근로소득세 원천징수 미확인자
– 계약기간 1년 미만 근로자
– 단시간 근로자
<table><tr><th>조특법상 제외대상</th><th>제외대상</th></tr><tr><td>임원</td><td>×</td></tr><tr><td>근로소득금액 7천만 원 이상자</td><td>×</td></tr><tr><td>최대주주(최대출자자) 및 그와 친족관계에 있는 자</td><td>×</td></tr><tr><td>근로소득세 원천징수 미확인자</td><td>○</td></tr><tr><td>계약기간 1년 미만 근로자</td><td>○</td></tr><tr><td>단시간 근로자</td><td>○</td></tr></table>* 가업상속공제 제도 취지에 불부합하는 규정은 수정하여 반영</td>
</tr>
</table>

〈개정이유〉

세법상 기준에 따라 정규직 근로자 여부를 판단함으로써 납세협력 및 집행의 부담을 경감

〈적용시기〉

'20. 1. 1. 이후 개시하는 과세기간(사업연도)분부터 적용

■ 가업상속공제 후 고용유지의무 관련 총급여 범위(상증령 §15⑭)

법 개정내용(§ 18⑥)
□ 가업상속공제 후 고용유지 의무 관련 근로자 인원 기준 외에 총급여액 기준을 선택적으로 적용할 수 있도록 함. • 총급여액의 범위를 시행령에 위임

현 행	개 정
□ 사후관리의무위반 시 추징률	□ 사후관리기간 단축(10년 → 7년)에 따른 연도별 추징비율 조정

현행:

기간	율
7년 미만	100분의 100
7년 이상 8년 미만	100분의 90
8년 이상 9년 미만	100분의 80
9년 이상 10년 미만	100분의 70

개정:

기간	율
5년 미만	100분의 100
5년 이상 7년 미만	100분의 80

〈개정이유〉

고용유지의무의 이행기준이 되는 총급여액의 범위를 정규직 근로자 임금을 기준으로 규정

〈적용시기〉

'20. 1. 1. 이후 상속이 개시되어 공제받는 분부터 적용
(개정 전 공제분도 '20. 1. 1. 이후 개정규정 적용)

⑤ 상속개시된 소득세 과세기간 말 또는 법인세 사업연도 말부터 10년간 정규직 근로자 수의 평균이 기준고용인원의 100분의 100(중견기업의 경우에는 100분의 120)에 미달하는 경우(10년 후 판단)

해 석 사 례

• 규모의 확대 등 중소기업에 해당하지 아니하게 된 기업의 가업상속공제 적용 후 상속이 개시된 사업연도 말부터 10년간 각 사업연도 말 기준 정규직 근로자 수를 합하여 10으로 나눈 값이 상속개시 직전사업연도 말 정규직 근로자 수의 100분의 120 미만인 경우 상속세가 부과되는 것임(재산-51, 2012. 2. 10.).

• 가업상속공제를 적용받은 기업이 사후관리기간 중에 다른 법인을 흡수·합병하여 피합병법인의 근로자를 승계하는 경우, 피합병법인의 근로자 중 가업법인의 사업장에서 근로를 제공하는 정규

직 근로자는 「상속세 및 증여세법(2015. 12. 15. 법률 제13557호로 개정되기 전의 것)」 제18조 제5항 제1호 라목 및 마목에서 규정하는 정규직 근로자 수에 포함되는 것임(서면-2015-법령해석재산-1858, 2016. 9. 28.).

• 가업상속공제의 고용유지의무 사후관리 규정 신설 전 상속이 개시된 경우 사후관리 기간 중 신설된 고용유지 의무 규정을 적용하지 않는 것임(기획재정부 재산세제과-450, 2017. 7. 20.).

• 가업법인이 가업상속공제 후 인적분할하여 동종 업종의 분할신설법인을 설립한 경우 고용유지 사후관리 규정의 매 연도 정규직 근로자 수는 분할존속법인과 분할신설법인을 합하여 계산하는 것임(서면-2016-법령해석재산-5183, 2017. 8. 30.).

3) 정당한 사유로 상속세가 추징되지 않는 경우

사후의무 이행을 위반하더라도 다음과 같은 정당한 사유가 있는 경우에는 상속세가 추징되지 않을 수 있다(상속세 및 증여세법 시행령 제15조 제8항).

① 가업용 자산을 처분한 정당한 사유

- 법률에 따라 수용 또는 협의 매수되거나 국가 또는 지방자치단체에 양도되거나 시설의 개체, 사업장 이전 등으로 처분되는 경우로 처분자산과 같은 종류의 자산을 대체 취득하여 가업에 계속 사용하는 경우
- 가업상속 재산을 국가 또는 지방자치단체에 증여하는 경우
- 가업상속받은 상속인이 사망한 경우
- 합병·분할, 통합, 개인사업의 법인전환 등 조직변경으로 인하여 자산의 소유권이 이전되는 경우. 다만, 조직변경 이전의 업종과 같은 업종을 영위하는 경우로서 이전된 가업용 자산을 그 사업에 계속 사용하는 경우에 한함.
- 내용연수가 지난 가업용 자산을 처분하는 경우

② 가업에 종사하지 아니한 정당한 사유

- 가업상속 재산을 국가 또는 지방자치단체에 증여하는 경우
- 가업상속받은 상속인이 사망한 경우
- 상속인이 법률에 따른 병역의무의 이행, 질병의 요양, 취학상 형편 등 부득이

한 사유에 해당하는 경우. 다만, 부득이한 사유가 종료된 후 가업에 종사하지 아니한 경우는 제외

③ 상속인의 지분이 감소한 정당한 사유

- 합병·분할 등 조직변경에 따라 주식 등을 처분하는 경우. 다만, 처분 후에도 상속인이 합병법인 또는 분할신설법인 등 조직변경에 따른 법인의 최대주주 등에 해당하는 경우에 한함.
- 해당 법인의 사업 확장 등에 따라 유상증자할 때 상속인의 특수관계인 외의 자에게 주식 등을 배정함에 따라 상속인의 지분율이 낮아지는 경우. 다만, 상속인이 최대주주 등에 해당하는 경우에 한함.
- 상속인이 사망한 경우. 다만, 사망한 자의 상속인이 원래 상속인의 지위를 승계하여 가업에 종사하는 경우에 한함.
- 주식 등을 국가 또는 지방자치단체에 증여하는 경우
- 상속받은 주식 등을 상속세 및 증여세법 제73조에 따라 물납하여 그 지분이 감소한 경우로서 물납 후에도 상속인이 최대주주 등에 해당하는 경우
- 자본시장과 금융투자업에 관한 법률 제390조 제1항에 따른 상장규정의 상장요건을 갖추기 위하여 지분을 감소시킨 경우

2 가업승계에 따른 증여세 과세특례

'가업의 승계에 대한 증여세 과세특례' 제도는 중소·중견기업 경영자의 고령화에 따라 생전에 자녀에게 가업을 계획적으로 사전 상속할 수 있도록 지원함으로써 가업의 영속성을 유지하고 경제 활력을 도모하기 위한 제도이다.

(1) 증여세 과세특례가액

5억 원까지 증여특례공제, 과세표준 30억 원까지 10% 저율과세, 과세표준 30억 원 초과분은 20% 저율과세가 되며 100억 원을 한도로 한다. 가업자산상당액에서 업무무관 비율 상당 주식가액은 공제대상에서 제외된다.

다만, 가업승계 주식증여특례 적용 주식가액에 대해서는 기간에 관계없이 증여자 사망 시 상속재산에 합산이 되므로 유의해야 한다.

(2) 증여세 과세특례 적용 요건

가업승계에 따른 증여세 과세특례를 적용받기 위해서는, 다음의 요건을 모두 충족해야 한다.

1) 수증자 요건

① 증여일 현재 18세 이상이고 거주자인 자녀이어야 한다.

② 가업 주식을 증여받은 수증자 또는 그 배우자가 증여세 신고기한(증여일의 말일부터 3개월)까지 가업에 종사하고, 증여일로부터 5년 이내에 대표이사에 취임해야 한다.

③ 가업승계 증여세 과세특례는 최대주주 등의 자녀 1인에 대해서만 적용된다.

해 석 사 례

- 가업승계에 대한 증여세 과세특례는 수증자가 증여세 과세표준 신고기한까지 가업에 종사하고 증여일부터 5년 이내에 공동대표이사에 취임하는 경우에도 적용됨(재산-2081, 2008. 8. 1.).
- 가업승계에 대한 증여세 과세특례 적용 시 증여자의 대표이사 요건은 필요치 않으나, 증여일 전 10년 이상 계속하여 해당 가업을 영위한 것으로 확인되어야 하는 것이며, 다른 요건을 모두 충족했다면 수증자가 가업의 승계를 목적으로 주식 등을 증여받기 전에 해당기업의 대표이사로 취임한 경우에도 적용되는 것임(재산-328, 2010. 5. 25.).

2) 증여자 요건

① 가업주식의 증여일 현재 중소기업 등인 가업을 10년 이상 계속하여 경영한 60세 이상인 수증자의 부모(증여 당시 부모가 사망한 경우에는 그 사망한 부모의 부모를 포함)이어야 한다.

② 10년 이상 계속하여 경영한 중소기업 등으로서 증여자와 그의 친족 등 특수관계에 있는 자의 주식 등을 합하여 해당 법인의 발행주식 총수 또는 출자총액의 100

분의 50(상장법인은 100분의 30) 이상의 주식 등을 10년 이상 계속하여 보유해야 한다.

※ 가업: 증여일이 속하는 과세연도의 직전 과세연도 말 현재 중소기업 등으로서 증여자가 10년 이상 계속하여 경영한 기업(주식증여에 대한 과세특례로 개인사업체는 적용되지 않는다.)

※ 최대주주 등: 주주 또는 출자자 1인과 그와 친족 등 특수관계에 있는 자의 보유 주식을 합하여 그 보유주식 등의 합계가 가장 많은 해당 주주 등을 말함.

해 석 사 례

- 가업을 10년 이상 계속하여 영위하였는지를 판단할 때, 증여자가 개인사업자로서 영위하던 가업을 동일한 업종의 법인으로 전환된 경우로서 증여자가 법인설립일 이후 계속하여 당해 법인의 최대주주 등에 해당하는 경우에는 개인사업자로서 가업을 영위한 기간을 포함하여 계산하는 것임(재산-625, 2009. 3. 25., 서면4팀-998, 2008. 4. 22.).

- 개인사업체의 경우에는 가업의 승계에 대한 증여세 과세특례 규정이 적용되지 아니함(재산-1556, 2009. 7. 27.).

- 증여자의 가업영위 기간 중 대표이사 재직요건을 요하지는 않으나 증여일 전 10년 이상 계속하여 해당 가업을 실제 영위한 것으로 확인되어야 하는 것임(재산-779, 2009. 11. 19.).

- 가업승계에 대한 증여세 과세특례는 증여자인 60세 이상의 부 또는 모가 각각 10년 이상 계속하여 가업을 경영한 경우에 적용되는 것임(기재부 재산-825, 2011. 9. 30.).

- 해당 기업이 2 이상의 서로 다른 사업을 영위하는 경우(동일 법인이 제조업과 부동산임대업을 영위하는 경우) 주된 사업을 기준으로 중소기업 해당 여부를 판정함에 있어서 당해 법인 또는 거주자가 영위하는 사업 전체의 종업원수·자본금 또는 매출액을 기준으로 하여 판정하는 것이며, 1주당 증여세 과세가액 산정은 「상속세 및 증여세법 시행령」 제15조 제5항 제2호의 산식을 준용하여 계산함(서면법규과-634, 2013. 5. 31.).

■ 2인 이상이 가업을 승계한 경우 가업승계 증여세 특례 적용방법 규정(조특령 §27의6)

법 개정내용(§30의6)
• 2인 이상이 가업을 승계하는 경우 가업승계자 모두에게 특례 적용* * (종전) 1인만 특례 적용 가능 – 이 경우 1인이 모두 증여받은 것으로 보아 특례를 적용하도록 하고, 각 거주자의 증여세액은 대통령령으로 정하도록 함.

현 행	개 정
〈신 설〉	□ 가업을 승계하고 2인 이상 거주자가 주식 등을 증여받은 경우 증여세액 • (동시 증여) 1인이 증여받은 경우와 동일하게 증여세를 계산한 후 각 거주자가 증여받은 주식가액 비례로 안분 * 100억 원 한도로 5억 원 공제 후 30억 원까지 10%, 초과분 20% • (순차 증여) 후순위 수증자의 경우 선순위 수증자의 증여재산가액을 과세가액에 합산하여 증여세를 계산하고 선순위 수증자가 납부한 증여세를 공제* * 1인이 수차례 나누어 증여받는 경우와 동일하게 과세

3) 증여 물건

주식 또는 출자지분을 증여받아야 한다.

4) 증여세 특례 신청 요건

증여세 신고기한까지 과세표준 신고서와 함께 「주식 등 특례신청서」를 납세지 관할 세무서장에게 제출해야 한다. 신고기한까지 신청하지 아니하면 과세특례를 적용받을 수 없다.

(3) 사후관리

1) 증여 후 가업승계 불이행 시 정상세율로 증여세 과세

가업 주식의 증여일부터 7년 이내에 정당한 사유 없이 정상적으로 가업승계를 이행하지 아니한 경우에는 해당 가업 주식의 가액을 일반 증여재산으로 보아 이자상당액과 함께 기본세율(10~50%)로 증여세를 다시 계산하여 납부해야 한다.

* '14. 12. 31. 이전 증여분에 대한 사후관리기간은 10년이었으나 개정 법령 부칙 제16조에 따라 종전 가업승계자에 대해서도 사후관리기간 7년이 적용됨.

이 경우 사유발생일이 속하는 달의 말일부터 3개월 이내에 가업승계 증여세 과세특례 추징사유 신고 및 자진납부 계산서를 납세지 관할 세무서장에게 제출하고 해당 증여세와 이자상당액을 납세지 관할 세무서, 한국은행 또는 체신관서에 납부해야 한다.

* 이미 증여세와 이자상당액이 부과되어 납부된 경우에는 해당되지 아니함.

〈사후관리 경과 규정〉

2014. 12. 31. 이전에 가업승계한 자로서 종전의 규정에 따라 증여세를 부과받았거나 부과받아야 할 자에 대해서는 종전의 규정에 따라 증여세를 부과한다.

※ 이자상당액 = 결정한 증여세액 × 당초 증여받은 주식 등에 대한 증여세 과세표준 신고기한의 다음 날부터 추징사유 발생일까지 일수 × 3/10,000

2) 사후 의무이행 위반으로 증여세가 추징되는 경우

① 가업 주식을 증여받은 수증자가 증여세 신고기한까지 가업에 종사하지 아니하거나 증여일로부터 5년 이내에 대표이사에 취임하지 아니하거나 증여일로부터 7년까지 대표이사직을 유지하지 아니하는 경우

② 가업을 승계한 후 주식 등을 증여받은 날로부터 7년 이내에 정당한 사유 없이 다음에 해당하게 된 경우

- 가업에 종사하지 아니하거나 가업을 휴업(실적이 없는 경우 포함) 또는 폐업하는 경우
- 증여일로부터 5년 이내에 대표이사로 취임하지 아니하거나, 7년까지 대표이사직을 유지하지 아니하는 경우
- 가업의 주된 업종을 변경하는 경우(다만, 다음 각 목의 어느 하나에 해당하는 경우는 제외한다. 한국표준산업분류에 따른 중분류 내에서 업종을 변경하는 경우, 「상속세 및 증여세법 시행령」 제49조의2에 따른 평가심의위원회의 심의를 거쳐 업종의 변경을 승인하는 경우)
- 가업을 1년 이상 휴업(실적이 없는 경우 포함)하거나 폐업하는 경우
- 수증자가 증여받은 주식을 처분하는 경우

- 합병·분할 등 조직변경에 따른 처분으로서 수증자가 최대주주 등에 해당하는 경우는 제외
- 「자본시장과 금융투자업에 관한 법률」 제390조 제1항에 따른 상장규정의 상장요건을 갖추기 위하여 지분을 감소시킨 경우는 제외(2015. 2. 3.이 속하는 사업연도분부터 적용)
- 증여받은 주식을 발행한 법인이 유상증자 등을 하는 과정에서 실권 등으로 수증자의 지분율이 낮아지는 경우
- 해당 법인의 시설투자·사업규모의 확장 등에 따른 유상증자를 하면서 수증자의 특수관계인 외의 자에게 신주를 배정하기 위하여 실권하는 경우로서 수증자가 최대주주 등에 해당하는 경우는 제외
- 해당 법인의 채무가 출자 전환됨에 따라 수증자의 지분율이 낮아지는 경우로서 수증자가 최대주주 등에 해당하는 경우는 제외
- 수증자와 특수관계 있는 자의 주식처분 또는 유상증자 시 실권 등으로 지분율이 낮아져 수증자가 최대주주 등에 해당되지 아니하는 경우
- 주식 등을 증여받은 수증자의 지분이 감소하는 경우

■ 가업승계 증여세 특례 업종유지 요건 완화(조특령 §27의6⑤)

현 행	개 정
□ 가업승계 증여세 특례 사후관리(7년) 중 업종유지 요건 • 업종유지: 표준산업분류상 소분류 내 업종변경 허용 * 기존 세분류 기준 매출액 30% 이상 필요	□ 업종유지 요건 완화 • 중분류 내 업종변경 허용 • 전문가 위원회 심의*를 거쳐 중분류 외 변경 허용 * (위원회 구성) 국세청 평가심의위원회에 업종 전문가를 추가하여 심의 ※ 가업상속공제의 업종변경에 대한 전문가 위원회와 같은 위원회

3) 정당한 사유로 증여세가 추징되지 않는 경우

① 수증자가 사망한 경우로서 수증자의 상속인이 상속세 과세표준 신고기한까지 당초 수증자의 지위를 승계하여 가업에 종사하는 경우

② 수증자가 증여받은 주식 등을 국가 또는 지방자치단체에 증여하는 경우

③ 수증자가 법률에 따른 병역의무의 이행, 질병의 요양, 취학상 형편 등으로 가업에 직접 종사할 수 없는 부득이한 경우

- 다만, 증여받은 주식 또는 출자지분을 처분하거나 그 부득이한 사유가 종료된 후 가업에 종사하지 아니하는 경우는 제외한다.

3 창업자금에 대한 증여세 과세특례

(1) 창업자금에 대한 증여세 과세특례 적용 요건

창업자금에 대한 증여세 과세특례를 적용받기 위해서 다음의 요건을 모두 충족하여야 한다.

1) 수증자 요건

① 창업자금의 증여일 현재 수증자는 18세 이상인 거주자이어야 한다.

② 창업자금 증여세 과세특례는 수증인 수에 관계없이 특례적용이 가능하다(부모가 장남과 장녀에게 30억 원씩 창업자금을 증여하는 경우 각각 과세특례 적용 가능).

2) 증여자 요건

60세 이상의 부모(증여 당시 부모가 사망한 경우에는 그 사망한 부모의 부모를 포함)로부터 증여받아야 한다.

해석사례

- 창업자금을 공동사업 또는 당해 거주자가 발기인이 되어 설립한 법인에 출자한 경우에는 창업자금에 대한 증여세 과세특례를 적용받을 수 있는 것이나, 증여받은 자금을 법인에 출자한 사실만으로 창업목적에 사용한 것으로 보지는 아니함(서면4팀-1393, 2007. 4. 30.).

- 수증자가 2인 이상인 경우 수증자별로 각각 창업자금 증여세 과세특례를 적용받을 수 있으며, 공동으로 창업한 경우에도 수증자별로 적용받을 수 있음(재산-4457, 2008. 12. 30.).

- 창업자금을 2회 이상 증여받거나 부모로부터 각각 증여받는 경우에는 각각의 증여세 과세가액을 합산하여 적용하는 것이며, 창업자금을 증여받아 창업을 한 자가 새로이 창업자금을 증여받아

1년 이내에 당초 창업한 사업과 관련하여 사용하는 경우에는 동 특례규정이 적용되는 것임(재산-4455, 2008. 12. 30.).

- 창업자금에 대한 증여세 과세특례를 적용받기 위해서는 「조세특례제한법」 제6조 제3항 각 호에 따른 업종을 영위하는 중소기업을 창업하여야 하는 것임(상속증여세과-360, 2014. 9. 22.).

3) 증여 물건

① 양도소득세 과세대상이 아닌 재산이어야 한다.

〈양도소득세 과세대상(소득세법 제94조 제1항)〉

토지 또는 건물, 부동산에 관한 권리(부동산을 취득할 수 있는 권리, 지상권, 전세권과 등기된 부동산 임차권), 주식 또는 출자지분(주권상장법인 소액주주 제외), 기타자산(사업용 고정자산과 함께 양도하는 영업권, 시설물 이용권 등)

② 따라서 창업자금 증여 목적물은 현금과 예금, 소액주주 상장주식, 국공채나 회사채와 같은 채권 등을 들 수 있다.

4) 과세특례 신청 요건

증여세 신고기한까지 증여세 과세표준 신고서와 함께 「창업자금 특례 신청 및 사용내역서」를 납세지 관할 세무서장에게 제출하여야 한다.

① 10명 이상 신규 고용한 경우 「신규 고용명세서」를 제출하여야 한다.

② 신고기한까지 신청하지 아니하면 과세특례를 적용받을 수 없다.

5) 창업중소기업

① 창업자금을 증여받은 자는 증여받은 날로부터 1년 이내에 창업중소기업 등에 해당하는 업종(조특법 제6조 제3항)을 영위하는 중소기업을 창업하여야 한다.

② '창업'이란 세법 규정에 따라 납세지 관할 세무서장에게 사업자등록하는 것을 말하며, 사업용 자산을 취득하거나 확장한 사업장의 임차보증금 및 임차료를 지급하는 것을 말한다.

③ 다음의 경우에는 중소기업의 창업으로 보지 아니한다.

- 합병, 분할, 현물출자 또는 사업의 양수를 통하여 종전의 사업을 승계하거나 종전의 사업에 사용되던 자산을 인수 또는 매입하여 같은 종류의 사업을 영위하는 경우
- 거주자가 영위하던 사업을 법인으로 전환하여 새로운 법인을 설립하는 경우
- 폐업 후 사업을 다시 개시하여 폐업 전의 사업과 같은 종류의 사업을 하는 경우
- 다른 업종을 추가하는 등 새로운 사업을 최초로 개시하는 것으로 보기 곤란한 경우, 그 밖에 이와 유사한 것으로서 창업자금을 증여받기 이전부터 영위한 사업의 운용자금과 대체설비자금 등으로 사용하는 경우

〈창업중소기업 등에 해당하는 업종(조특법 제6조 제3항)〉

1. 광업
2. 제조업(제조업과 유사한 사업으로서 대통령령으로 정하는 사업을 포함)
3. 건설업
4. 음식점업
5. 출판업
6. 영상·오디오 기록물제작 및 배급업(비디오물 감상실 운영업 제외)
7. 방송업
8. 전기통신업
9. 컴퓨터 프로그래밍, 시스템 통합 및 관리업
10. 정보서비스업(뉴스제공업 제외)
11. 연구개발업
12. 광고업
13. 그 밖의 과학기술서비스업
14. 전문디자인업
15. 전시·컨벤션 및 행사대행업
16. 창작 및 예술관련 서비스업(자영예술가 제외)
17. 「엔지니어링산업진흥법」에 따른 엔지니어링 활동(「기술사법」의 적용을 받는 기술사의 엔지니어링 활동 포함)
18. 운수업 중 화물운송업, 화물취급업, 보관 및 창고업, 화물터미널 운영업, 화물운송 중개·대리 및 관련 서비스업, 화물포장·검수 및 형량 서비스업, 「항만법」에 따른 예선업 및 「도선법」에 따른 도선업과 기타 산업용 기계장비 임대업 중 팰릿 임대업

19. 「학원의 설립·운영 및 과외교습에 관한 법률」에 따른 직업기술 분야를 교습하는 학원을 운영하는 사업 또는 「근로자직업능력개발법」에 따른 직업능력개발훈련 시설을 운영하는 사업(직업능력개발훈련을 주된 사업으로 하는 경우에 한함)
20. 「관광진흥법」에 따른 관광숙박업, 국제회의업, 유원시설업 및 「관광진흥법 시행령」 제2조에 따른 전문 휴양업, 종합 휴양업, 자동차 야영장업, 관광 유람선업, 관광 공연장업
21. 「노인복지법」에 따른 노인복지시설을 운영하는 사업
22. 「전시산업발전법」에 따른 전시산업
23. 인력공급 및 고용알선업(농업노동자 공급업 포함)
24. 건물 및 산업설비 청소업
25. 경비 및 경호 서비스업
26. 시장조사 및 여론조사업
27. 사회복지 서비스업
28. 보안시스템 서비스업

(2) 과세특례의 세부내용

① 증여세 과세 시 증여세 과세가액(30억 원 한도, 10명 이상 신규 고용하는 경우 50억 원 한도)에서 5억 원을 공제한 후, 10% 세율을 적용하여 증여세를 계산한다.

- 창업자금을 2회 이상 증여받거나 부모로부터 각각 증여받는 경우에는 각각의 증여세 과세가액을 합산하여 적용한다.
- 과세가액 30억 원(일정요건 충족 시 50억 원)을 한도로 적용하며, 한도 초과분에 대하여는 과세특례가 적용되지 않으므로 누진세율(10~50%)을 적용하여 증여세를 계산한다.

② 창업자금 과세특례를 적용받은 경우에는 증여세 신고세액공제를 받을 수 없다.

③ 창업자금에 대한 증여세 과세특례가 적용되는 증여물건을 증여받은 경우 증여세 연부연납이 가능하다.

④ 상속세 종합한도액 계산 시 세액계산 특례

- 일반재산은 10년 이내 증여분만 상속세 과세가액에 합산하지만, 증여세 과세특례가 적용된 창업자금은 기간에 관계없이 증여 당시 평가액을 상속세 과세가액에 산입하여 상속세로 다시 정산한다.
- 다만, 상속공제 종합한도액을 계산하는 경우 증여세 과세특례가 적용된 창업자금은 가산하는 증여재산가액으로 보지 아니하고 공제한도액을 계산하게 되므로 공제한도액이 커지게 된다.

※ 창업자금에 대한 증여세액은 상속세 산출세액에서 공제하며, 이 경우 공제할 증여세액이 상속세 산출세액보다 많은 경우 그 차액에 상당하는 증여세액은 환급하지 아니함.

⑤ 증여세 과세특례가 적용된 창업자금과 일반증여재산(증여세 과세특례가 적용된 창업자금 이외의 재산)은 합산하지 아니한다.

※ 창업자금은 창업자금대로 합산하며, 10년 이내 일반 증여재산은 일반 증여재산대로 합산

⑥ 창업자금 과세특례는 가업승계 과세특례와 중복 적용받을 수 없고, 한 가지만 선택하여 적용받을 수 있다.

(3) 창업자금 증여에 대한 사후관리

1) 3년 이내 창업자금 사용

창업자금을 증여받은 자는 증여받은 날부터 3년이 되는 날까지 창업자금을 모두 해당 목적에 사용하여야 한다.

2) 사후 의무이행 위반 시 증여세 추징

창업자금을 증여받고 다음에 해당하는 경우에는 증여세와 상속세를 각각 부과하며, 1일 3/10,000으로 계산한 이자상당액을 증여세에 가산하여 부과한다.

① 1년 이내에 창업하지 아니한 경우
- 창업자금 전체 과세

② 창업자금으로 창업중소기업 등(조특법 제6조 제3항)에 해당하는 업종 외의 업종을 경영하는 경우

– 창업중소기업 등에 해당하는 업종 외의 업종에 사용된 창업자금은 과세

③ 창업자금을 증여받아 1년 이내에 창업을 한 자가 새로 창업자금을 증여받아 당초 창업한 사업과 관련하여 사용하지 아니한 경우

– 해당 목적에 사용되지 아니한 창업자금을 과세

④ 창업자금을 증여받은 날부터 3년이 되는 날까지 모두 해당 목적에 사용하지 아니한 경우

– 해당 목적에 사용되지 아니한 창업자금은 과세

⑤ 증여받은 후 10년 이내에 창업자금(창업으로 인한 가치증가분 포함)을 해당 사업용도 외의 용도로 사용한 경우

– 해당 사업용도 외의 용도로 사용된 창업자금은 과세

⑥ 창업 후 10년 이내에 해당 사업을 폐업하거나 휴업(실질적 휴업 포함)한 경우 또는 수증자가 사망한 경우

– 창업자금(창업으로 인한 가치증가분 포함)은 과세

⑦ 증여받은 창업자금이 30억 원을 초과하는 경우로서 창업한 날이 속하는 과세연도의 종료일부터 5년 이내에 각 과세연도의 근로자 수가 다음 계산식에 따라 계산한 수보다 적은 경우

– 30억 원을 초과하는 창업자금은 과세

창업한 날의 근로자 수 – (창업을 통하여 신규 고용한 인원 수 – 10명)

이 경우 근로자 수는 해당 과세연도의 매월 말일 현재의 인원을 합하여 해당 월수로 나눈 인원을 기준으로 계산한다.

3) 증여세가 추징되지 않는 경우

다음에 해당하는 경우에는 위 ⑥의 해당 사업을 폐업하거나 휴업(실질적 휴업을 포함)한 경우로 보지 아니한다.

- 부채가 자산을 초과하여 폐업하는 경우
- 최초 창업 이후 영업상 필요 또는 사업전환을 위하여 1회에 한하여 2년(폐업의 경우에는 폐업 후 다시 개업할 때까지 2년) 이내의 기간 동안 휴업하거나 폐업하는 경우(휴업 또는 폐업 중 어느 하나에 한함)

다음의 경우는 위 ⑥의 수증자가 사망한 경우로 보지 아니한다.
- 수증자가 창업자금을 증여받고 창업하기 전에 사망한 경우로서, 수증자의 상속인이 당초 수증자의 지위를 승계하여 창업하는 경우
- 수증자가 창업자금을 증여받고 창업한 후 창업목적에 사용하기 전에 사망한 경우로서, 수증자의 상속인이 당초 수증자의 지위를 승계하여 창업하는 경우
- 수증자가 창업자금을 증여받고 창업을 완료한 후 사망한 경우로서, 수증자의 상속인이 당초 수증자의 지위를 승계하여 창업하는 경우

(4) 창업자금 사용명세서 미제출 가산세 등

1) 창업자금 사용명세서 제출

- 창업자금을 증여받은 자가 창업하는 경우에는 대통령령으로 정하는 날*에 창업자금 사용명세**를 제출하여야 하며,
- 창업자금 사용명세를 제출하지 아니하거나 제출된 창업자금 사용명세가 분명하지 않은 경우에는 그 미제출분 또는 불분명한 금액에 1천분의 3을 곱하여 산출한 금액을 창업자금 사용명세서 미제출 가산세로 부과한다.

* 창업일이 속하는 달의 다음 달 말일, 창업일이 속하는 과세연도부터 4년 이내의 과세연도(창업자금을 모두 사용한 경우에는 그날이 속하는 과세연도)까지 매 과세연도의 과세표준 신고기한

** 창업자금 사용내역에는 증여받은 창업자금의 내역, 증여받은 창업자금의 사용내역 및 이를 확인할 수 있는 사항이 포함되어야 하고, 증여받은 창업자금이 30억 원을 초과하는 경우에는 고용명세를 포함함.

2) 증여세 추징 시 이자상당액 가산

- 창업자금의 과세특례 적용을 부인하는 경우 일반 증여재산으로 보아 증여 당시의

가액에 누진세율을 적용하여 계산한 세액에 이자상당액을 가산하여 추징한다.

(이자상당액)
결정한 증여세액 × 증여세과표 신고기한의 다음 날부터 추징사유 발생일까지 일수 × 2.5/10,000

해 석 사 례

- 창업자금을 증여받아 부모가 영위하던 사업과 동종의 사업을 개시하여도 창업에 해당되어 증여세 과세특례가 적용됨(서면4팀-3162, 2006. 9. 14.).
- 개인사업을 영위하는 거주자가 다른 장소에서 동종의 사업을 개시하거나 다른 업종을 추가하는 등 새로운 사업을 최초로 개시한 것으로 보기 곤란한 경우에는 창업으로 보지 아니하므로 과세특례가 적용되지 않음(서면4팀-3160, 2006. 9. 14.).
- 창업자금에 대한 증여세 과세특례를 적용받은 후 그 증여일로부터 10년 이내에 당해 사업용도 외의 용도로 사용한 창업자금 등(창업한 사업에서 발생한 이익 및 창업에 사용된 재산의 가치 증가분 포함)은 증여세를 부과함(서면4팀-2895, 2007. 10. 9.).
- 부동산임대업으로 사업자등록을 하고 증여받은 창업자금으로 당해 부동산 취득자금으로 사용하는 경우 증여세 과세특례를 적용하지 아니함(서면4팀-3430, 2007. 11. 28.).
- 창업자금에 대한 증여세 과세특례를 적용할 때 사업의 양수를 통하여 종전의 사업을 승계하거나 종전의 사업에 사용되던 자산을 인수 또는 매입하여 동종의 사업을 영위하는 경우에는 과세특례가 적용되지 않음(재산-4457, 2008. 12. 30.).
- 창업자금을 증여받은 자가 창업자금에 대한 증여세를 창업자금으로 납부하는 경우 증여세 납부세액 상당액은 "해당 사업용도 외의 용도로 사용된 창업자금"에 해당하는 것임(재산-361, 2011. 7. 28.).
- 조세특례제한법 제30조의5에 따른 창업자금에 대한 증여세 과세특례를 적용받은 후 증여자가 사망하여 창업자금에 대하여 상속세를 신고한 경우에도 창업자금 사후관리 적용됨(기재부 재산-678, 2011. 8. 22.).

■ 상속세 및 증여세법 시행규칙 [별지 제1호 서식] 〈개정 2019. 3. 20.〉

가 업 상 속 공 제 신 고 서

가. 가업현황

상 호 (법 인 명)		사업자등록번호	
성 명 (대 표 자)		주민등록번호	
개 업 연 월 일		업 종	
사 업 장 소 재 지		기준고용인원	

나. 중소기업 또는 중견기업 여부(해당되는 곳에 √표 기재)

중 소 기 업 여 부	[ ]해당 [ ]해당안됨	상장여부 (상장일)	[ ]상장(. .) [ ]비상장
중 견 기 업 여 부	[ ]해당 [ ]해당안됨	직전 3개 사업연도 평균 매출액	

다. 피상속인

성 명		주 민 등 록 번 호	
가 업 영 위 기 간		대표이사(대표자) 재 직 기 간	
최 대 주 주 등 여 부		특수관계인포함 보유주식 등 지분율	

라. 가업상속인

성 명		주 민 등 록 번 호	
가 업 종 사 기 간		임원/대표이사 취임일	
주 소	(☎)		

마. 가업상속재산 명세

종 류	수 량 (면 적)	단 가	가 액	비 고

바. 가업상속공제 신고액: 원

「상속세 및 증여세법」 제18조 제4항 및 같은 법 시행령 제15조 제18항에 따라 가업상속공제신고서를 제출합니다.

년 월 일

신고인 (서명 또는 인)

세무서장 귀하

신청(신고)인 제출서류	1. 중소기업 등 기준검토표(「법인세법 시행규칙」 별지 제51호 서식을 말합니다) 2. 가업상속재산이 주식 또는 출자지분인 경우에는 해당 주식 또는 출자지분을 발행한 법인의 상속개시일 현재와 직전 10년간의 사업연도의 주주현황 각 1부 3. 그 밖에 상속인이 해당 가업에 직접 종사한 사실을 입증할 수 있는 서류 1부	수수료 없음

작성방법

1. "가. 가업현황"에서 '업종'은 「상속세 및 증여세법 시행령」 별표에 따른 업종 중에서 해당 업종을 적습니다.
2. "가. 가업현황"에서 '기준고용인원'은 상속이 개시된 소득세 과세기간 또는 법인세 사업연도의 직전 2개 소득세 과세기간 또는 법인세 사업연도의 정규직근로자 수의 평균을 적습니다.
3. "나. 중소기업 또는 중견기업 여부"에서 '중소기업'은 「조세특례제한법 시행령」 제2조 제1항 제1호 및 제3호의 요건을 모두 충족하고 자산총액이 5천억 원 미만인 기업을 말합니다.
4. "나. 중소기업 또는 중견기업 여부"에서 '중견기업'은 「조세특례제한법 시행령」 제9조 제2항 제1호 및 제3호의 요건을 모두 충족하고 상속개시일의 직전 3개 소득세 과세기간 또는 법인세 사업연도의 매출액 평균금액이 3천억 원 미만인 기업을 말합니다.
5. "마. 가업상속재산 명세"와 "바. 가업상속공제 신고액"은 별지 제1호 서식 부표 1(가업상속재산명세서) 및 별지 제1호 서식 부표2(가업용 자산 명세)를 작성한 후 해당 금액 등을 적습니다.

210mm×297mm[백상지 80g/㎡(재활용품)]

■ 상속세 및 증여세법 시행규칙[별지 제1호 서식 부표 1] 〈개정 2019. 3. 20.〉

가업상속재산명세서

※ 뒤쪽의 작성방법을 읽고 작성하시기 바랍니다. (앞쪽)

가. 「소득세법」을 적용받는 가업

구 분	자 산 종 류	금 액(자산가액-담보채무액)
가업에 직접 사용되는 사업용 자산	토지	
	건축물	
	기계장치	
	기타	
	① 계	

나. 「법인세법」을 적용받는 가업

② 상속개시일 현재 주식 등의 가액			
사업관련 자산가액 비율	③ 총자산가액		
	사업무관자산 가액	㉮ 「법인세법」 제55조의2 해당자산	
		㉯ 「법인세법 시행령」 제49조 해당 자산 및 임대용부동산	
		㉰ 「법인세법 시행령」 제61조 제1항 제2호 해당자산	
		㉱ 과다보유현금	
		㉲ 영업활동과 직접 관련없이 보유하는 주식·채권 및 금융상품	
		④ 사업무관자산 가액 계	
	⑤ 사업관련 자산가액(③ - ④)		
	⑥ 사업관련 자산가액 비율(⑤ ÷ ③)		
⑦ 가업상속공제 대상금액(② × ⑥)			

다. 한도액 계산

⑧ 가업영위기간	⑨ 가업상속공제 대상금액 (① 또는 ⑦)	⑩ 한도액	⑪ 가업상속공제액 (⑨와 ⑩ 중 적은 금액)
10년 이상 20년 미만		200억 원	
20년 이상 30년 미만		300억 원	
30년 이상		500억 원	

신청(신고)인 제출서류	1. 「소득세법」을 적용받는 가업의 경우, 가업에 직접 사용되는 사업용 자산 입증서류 2. 「법인세법」을 적용받는 가업의 경우, 주식평가내역 및 사업무관자산 가액을 확인할 수 있는 입증서류(재무상태표 등)	수수료 없 음

210mm×297mm[백상지 80g/㎡(재활용품)]

(뒤쪽)

작 성 방 법

1. "① 계"란은 「소득세법」을 적용받는 가업에 해당하는 경우에 적으며, 상속재산 중 가업에 직접 사용되는 토지, 건축물, 기계장치 및 그 밖의 사업용 자산의 가액에서 해당 자산에 담보된 채무액을 뺀 금액을 적은 후 그 합계액을 적습니다.

2. "② 상속개시일 현재 주식 등의 가액"란은 「법인세법」을 적용받는 가업에 해당하는 경우에 적으며, 상속재산 중 가업에 해당하는 법인의 주식 등의 가액을 적습니다.

3. "③ 총자산가액"란은 상속개시일 현재 해당 법인의 전체 자산을 「상속세 및 증여세법」 제4장에 따라 평가한 가액을 적습니다.

4. 사업무관자산 가액의 ㉮~㉲란은 「상속세 및 증여세법 시행령」 제15조 제5항 제2호 가목부터 마목까지에 해당하는 가액을 각각 적습니다.

5. "⑤ 사업관련 자산가액"란은 "③ 총자산가액"에서 "④ 사업무관자산 가액 계"를 뺀 가액을 적습니다.

6. "⑦ 가업상속공제 대상금액"란은 "② 상속개시일 현재 주식 등의 가액"에 "⑥ 사업관련 자산가액 비율"을 곱한 가액을 적고, 해당 가액을 「가업상속공제 신고서」의 "라. 가업상속재산 명세"란의 "가액"란에 적습니다.

7. "⑨ 가업상속 대상금액"란은 「소득세법」을 적용받는 가업의 경우는 ①의 금액을, 「법인세법」을 적용받는 가업의 경우는 ⑦의 금액을 가업영위기간 구분에 따라 해당되는 란에 적습니다.

8. "⑪ 가업상속공제액"란은 "⑨ 가업상속공제 대상금액"과 "⑩ 한도액" 중 적은 금액을 적습니다.

9. "⑪ 가업상속공제액"란의 금액을 「가업상속공제 신고서」의 "마. 가업상속공제 신고액"란에 적습니다.

210mm×297mm[백상지 80g/㎡(재활용품)]

■ 상속세 및 증여세법 시행규칙[별지 제1호 서식 부표 2] 〈신설 2018. 3. 19.〉

가업용 자산 명세

(단위: 원)

일련번호	구분코드	소재지, 지목, 명칭 등	평가액

작 성 방 법

1. 작성대상은 「소득세법」을 적용받는 가업을 상속받는 경우이며, 해당 가업상속공제를 받은 가업용 자산을 적습니다.
2. 가업용 자산 명세는 별지 작성이 가능합니다.
3. 구분(코드)은 아래와 같습니다.

구분코드	①	②	③
설명	토지	건축물	기계장치 등

210mm×297mm[백상지 80g/㎡(재활용품)]

■ 상속세 및 증여세법 시행규칙 [별지 제9호 서식 부표 6] 〈신설 2018. 3. 19.〉

가업상속공제 등 사후관리추징사유 신고 및 자진납부 계산서

(앞쪽)

신 고 인	① 성 명		② 주민등록번호		피상속인과의 관계	
	③ 주 소				전자우편주소	
피상속인	④ 성 명		⑤ 주민등록번호			
	⑥ 주 소					
⑦ 상속공제의 종류			⑧ 상속일			

1. 「소득세법」을 적용받는 가업상속 및 영농상속 재산명세

⑨ 종류	⑩ 소재지	⑪ 수량 (면적, 톤수)	⑫ 단 가	⑬ 가 액
계				

2. 「법인세법」을 적용받는 가업상속 및 영농상속 재산명세

⑭ 상호	⑮ 사업자번호	⑯ 주식수	⑰ 1주당 가액 등	⑱ 가 액
계				

⑲ 사후관리 위반유형코드	

3. 사후관리 위반으로 상속세가 부과되는 금액

가업상속공제		영농상속공제	
⑳ 가업상속 공제금액		㉓ 영농상속 공제금액	
㉑ 기간별추징률		㉔ 영농상속받은 재산 중 처분재산가액	
㉒ 금액(⑳ × ㉑)		㉕ 영농상속받은 재산가액	
		㉖ 금액(㉓ × (㉔/㉕)	

4. 사후관리 위반에 따른 결정한 상속세액

가업상속공제		영농상속공제	
㉗ 상속세액		㉘ 상속세액	

5. 이자상당액

가업상속공제		영농상속공제	
㉙ 일수		㉜ 일수	
㉚ 이자율		㉝ 이자율	
㉛ 이자상당액 (㉗ × ㉙ × ㉚/365)		㉞ 이자상당액 (㉘ × ㉜ × ㉝/365)	

6. 납부할 세액

가업상속공제		영농상속공제	
㉟ 납부할 세액(㉗ + ㉛)		㊱ 납부할 세액(㉘ + ㉞)	

「상속세 및 증여세법」 제18조 및 같은 법 시행령 제15조 제18항에 따라 가업상속공제 사후관리추징사유 신고 및 자진납부 계산서를 제출합니다.

년 월 일

신 고 인 (서명 또는 인)

세무대리인 (서명 또는 인)

(관리번호: ☎)

세무서장 귀하

(뒤쪽)

작 성 방 법

1. "1. 「소득세법」을 적용받는 가업상속 및 영농상속 재산명세"와 "2.「법인세법」을 적용받는 가업상속 및 영농상속 재산명세"에는 「상속세 및 증여세법 시행령」 제15조 및 제16조의 요건을 모두 충족하여 가업 및 영농 상속공제를 적용받은 상속재산을 적습니다.

2. "⑲ 사후관리 위반유형코드"는 아래와 같습니다.

사후관리 위반유형	코드
상속세 및 증여세법 제18조 제6항 제1호 가목에 해당	01
상속세 및 증여세법 제18조 제6항 제1호 나목에 해당	02
상속세 및 증여세법 제18조 제6항 제1호 다목에 해당	03
상속세 및 증여세법 제18조 제6항 제1호 라목에 해당	04
상속세 및 증여세법 제18조 제6항 제1호 마목에 해당	05
상속세 및 증여세법 제18조 제6항 제2호에 해당	06

3. "㉑ 기간별추징률"은 아래와 같습니다.

기간	7년 미만	7년 이상~8년 미만	8년 이상~9년 미만	9년 이상~10년 미만
추징률	100%	90%	80%	70%

4. "㉗ 및 ㉘ 상속세"란에는 「상속세 및 증여세법」 제18조 제5항 각 호 외의 부분 전단에 따라 결정한 상속세액을 적습니다.

5. "㉙ 및 ㉜ 일수"란에는 당초 상속받은 가업상속재산에 대한 상속세 과세표준 신고기한의 다음날부터 「상속세 및 증여세법」 제18조 제5항 각 호의 사유가 발생한 날까지의 기간을 적습니다.

6. "㉚ 및 ㉝ 이자율"란에는 상속세의 부과 당시의 「국세기본법 시행령」 제43조의3 제2항에 따른 이자율을 365로 나눈 율을 적습니다.

210mm×297mm[백상지 80g/㎡(재활용품)]

■ 조세특례제한법 시행규칙 [별지 제11호의7 서식] 〈개정 2015. 3. 13.〉

주식등 특례신청서

※ [ ]에는 해당되는 곳에 √표를 합니다.

1. 인적사항

수증자	① 성 명		② 주민등록번호	
	③ 주 소	(☎)		
	④ 증여자와의 관계		전자우편주소	

2. 증여자 및 가업승계 법인 현황

증 여 자 (가업법인 주식 등 증여자)		승계대상 가업법인 현황	
⑤ 성 명	(☎)	⑪ 법인명	(☎)
⑥ 주민등록번호		⑫ 사업자등록번호	– –
⑦ 주 소		⑬ 업종	(업태) (종목)
⑧ 가업법인의 최대주주여부	[ ]해당 [ ]해당하지 않음	⑭ 개업일	
⑨ 특수관계자 포함 보유주식수(지분율)	총 주 (지분율: %)	⑮ 발행주식총수	주
⑩ 가업영위기간	~	⑯ 중소기업 여부	[ ]해당 [ ]해당하지 않음
		⑰ 상장여부 (일자)	[ ]상장(. .) [ ]비상장

3. 가업법인 주식등 증여현황

⑱ 수증일	⑲ 수량	⑳ 수증 주식등 지분율	㉑ 단가	㉒ 주식 등 가액 (⑲×㉑)	㉓ 과세특례 적용대상 증여세 과세가액

「조세특례제한법」 제30조의 6 제3항에 따라 위와 같이 가업승계 주식 등에 대한 증여세 과세특례를 신청합니다.

년 월 일

제출자 (서명 또는 인)

세 무 서 장 귀하

제출서류	1. 가업법인의 중소기업기준검토표(「법인세법 시행규칙」 별지 제51호 서식을 말합니다) 2. 가업승계 법인의 증여일 현재와 직전 10년간의 사업연도의 주주현황 각 1부 3. 그 밖에 가업승계 사실을 입증할 수 있는 서류	수수료 없음

작 성 방 법

1. ⑧, ⑨, ⑬~⑰란은 증여일이 속하는 사업연도의 직전 사업연도말 기준으로 작성합니다.
2. "㉒ 주식 등 가액"란은 증여일 현재 「상속세 및 증여세법」에 따라 평가한 가액을 적습니다.
3. "㉓ 과세특례 적용대상 증여세 과세가액"란은 "가업승계 주식 등 증여재산평가 및 과세가액 계산명세서(「상속세 및 증여세법 시행규칙」 별지 제10호의2 서식 부표 2)"의 ⑫의 금액을 적습니다.

■ 상속세 및 증여세법 시행규칙[별지 제10호의2 서식 부표 2] 〈개정 2018. 3. 19.〉

관리번호	-

가업승계 주식 등 증여재산평가 및 과세가액 계산명세서

구분			금액
① 증여일 현재 주식 등의 가액			
사업관련 자산가액 비율	② 총자산가액		
	사업무관 자산가액	㉮ 「법인세법」 제55조의2 해당자산	
		㉯ 「법인세법 시행령」 제49조 해당자산 및 임대용부동산	
		㉰ 「법인세법 시행령」 제61조 제1항 제2호 해당자산	
		㉱ 과다보유현금	
		㉲ 영업활동과 직접 관련없이 보유하는 주식·채권 및 금융상품	
		③ 사업무관자산 가액 계	
	④ 사업관련 자산가액(② - ③)		
	⑤ 사업관련 자산가액 비율(④ ÷ ②)		
과세특례 적용 전 증여세 과세가액 계산	⑥ 가업자산 상당액(① × ⑤)		
	⑦ 기 과세특례적용분 증여세 과세가액		
	⑧ 합계액(⑥ + ⑦)		
과세특례 적용 한도금액 계산	⑨ 총한도액(100억 원)		
	⑩ 기 과세특례적용분 증여세과세가액(= ⑦)		
	⑪ 계(⑨ - ⑩)		
과세특례 적용대상 증여세 과세가액	⑫ ⑧과 ⑪ 중 적은금액 [다만, ⑧ 〈 ⑨이면, (⑧ - ⑦)의 금액]		
기본세율 적용대상 가액	⑬ 증여재산가액(① - ⑫)		

작 성 방 법

1. "① 증여일 현재 주식 등의 가액"란은 증여재산 중 가업에 해당하는 법인의 주식 등의 가액을 적습니다.
2. "② 총자산가액"은 증여일 현재 해당 법인의 전체 자산을 「상속세 및 증여세법」 제4장에 따라 평가한 가액을 적습니다.
3. 사업무관자산 가액의 ㉮~㉲란은 「상속세 및 증여세법 시행령」 제15조 제5항 제2호 가목부터 마목까지에 해당하는 가액을 각각 적습니다.
4. "④ 사업관련 자산가액"란은 ② 총자산가액에서 ③ 사업무관자산 가액의 합계액을 뺀 가액을 적습니다.
5. "⑥ 가업자산 상당액"란은 "① 증여일 현재 주식 등의 가액"에 "⑤사업관련 자산가액 비율"을 곱한 가액을 적습니다.
6. "⑦ 기 과세특례적용분 증여세과세가액"란에는 해당 증여일 전에 동일 과세특례를 적용받은 증여재산에 대한 과세가액을 적습니다.
7. "⑬ 증여재산가액"의 금액은 「증여세 과세표준신고 및 자진납부계산서(별지 제10호 서식)」 "㉔ 증여재산가액"에 적어 증여세 과세표준 및 세액을 작성해야 합니다.

210mm×297mm[백상지 80g/㎡(재활용품)]

■ 조세특례제한법 시행규칙 [별지 제11호의6 서식] 〈개정 2016. 7. 1.〉

창업자금 [ ] 특례신청서 [ ] 사용내역서

※ [ ]에는 해당되는 곳에 √표를 합니다.

1. 기 본 사 항

수증자	① 성 명		② 주민등록번호	
	③ 주 소		(☎)	
	④ 증여자와의 관계		⑤ 전자우편주소	
증여자	⑥ 성 명		⑦ 주민등록번호	
	⑧ 주 소		(☎)	

2. 신 청 내 용 (※ 증여받은 날부터 1년 이내에 창업해야 합니다)

⑨ 수 증 일	⑩ 재 산 종 류	⑪ 증 여 재 산 가 액	⑫ 비 고

3. 사 용 내 역

증여받은 재산내역			사 용 내 역			
⑬ 수증일	⑭ 재산종류	⑮ 가 액	⑯ 사용일자	⑰ 사용용도 및 내역	⑱ 사용금액	⑲ 비 고

「조세특례제한법 시행령」 제27조의5 제10항에 따라 위와 같이 창업자금 ([ ]특례신청서, [ ]사용내역서)를 제출합니다.

년 월 일

제출자 (서명 또는 인)

세 무 서 장 귀하

작 성 방 법

1. 창업자금에 대한 증여세 과세특례를 신청하는 경우에는 "1. 기본사항"과 "2. 신청내용"만을 적습니다.
2. 창업자금 사용내역을 제출하는 경우에는 "1. 기본사항"과 "3. 사용내역"만을 적습니다.
3. "⑪ 증여재산가액"란은 증여일 현재 「상속세 및 증여세법」에 따라 평가한 가액을 적습니다.
4. "⑰ 사용용도 및 내역"란은 증여재산의 사용용도(예 : 임차보증금, 기계장치 등)를 적고, 사용 관련 증명서류(예 : 취득자산 명세, 대금지급 증빙, 주식 및 채권의 매각내역 등)를 별지에 첨부합니다.
5. "⑲ 비고"란은 취득자산 등의 거래상대방 상호와 사업자등록번호를 적습니다.
6. 창업을 통하여 10명 이상을 신규 고용한 경우에는 부표1 신규고용명세서를 제출합니다.

210㎜×297㎜[중질지(80g/㎡(재활용품)]

■ 조세특례제한법 시행규칙[별지 제11호의6 서식의 부표] 〈개정 2016. 7. 1.〉

신규 고용명세서

① 성명	② 주민등록번호	③ 주소	④ 입사일	⑤ 퇴사일

작 성 방 법

1. 증여받은 창업자금이 30억 원을 초과하고 10명 이상 신규고용한 경우 작성합니다.

210㎜×297㎜[중질지(80g/㎡(재활용품)]

■ 상속세 및 증여세법 시행규칙 [별지 제10호의2 서식 부표1] 〈개정 2018. 3. 19.〉

관리번호	–

창업자금 증여재산평가 및 과세가액 계산명세서

※ 뒤쪽의 작성방법을 읽고 작성하시기 바랍니다.

(앞쪽)

가. 증여재산 및 평가명세서

① 재산구분코드	② 재산종류	③ 지목 또는 건물 · 재산 종류	④ 소재지 · 법인명 등			⑤ 사업자등록 번호	⑥ 수량 (면적)	⑦ 단가	⑧ 평가 가액	⑨ 평가기준 코드
			국외자산 여부	국외재산 국가명						
			[ ]여 [ ]부							
			[ ]여 [ ]부							
			[ ]여 [ ]부							
			[ ]여 [ ]부							
			[ ]여 [ ]부							
			[ ]여 [ ]부							
			[ ]여 [ ]부							
			[ ]여 [ ]부							
			[ ]여 [ ]부							
			[ ]여 [ ]부							

나. 증여세 과세가액 계산명세서

과세특례 적용 전 증여세 과세가액 계산	⑩ 해당 증여재산가액	
	⑪ 해당 채무액	
	⑫ 기 과세특례적용분 증여세 과세가액	
	⑬ 계 (⑩ – ⑪ + ⑫)	
과세특례 적용 한도금액 계산	⑭ 총한도액 (30억원 또는 50억원)	
	⑮ 기 과세특례적용분 증여세 과세가액(= ⑫)	
	⑯ 계 (⑭ – ⑮)	
과세특례 적용대상 증여세 과세가액	⑰ ⑬과 ⑯ 중 적은 금액 (다만, ⑬ 〈 ⑭이면, ⑬ – ⑫의 금액)	
기본세율 적용대상 가액 (⑬ 〉 ⑭ 해당시만 적음)	⑱ 증여재산가액 (⑩– ⑰)	
	⑲ 채무액 (= ⑪)	

첨부서류	증여재산 증명서류 [예: 주주(증권계좌)번호 및 잔고증명서, 예금통장 사본 등]

210mm×297mm[백상지 80g/㎡(재활용품)]

(뒤쪽)

작성방법

1. "① 재산구분코드"란 : 아래의 재산구분에 해당하는 코드를 적습니다.

재산구분	증여재산 (창업자금)	증여재산 (가업승계)	증여재산가산 (창업자금)	증여재산가산 (가업승계)
코드	A12	A13	A22	A23

2. "② 재산종류"란 : 토지, 건물, 유가증권 등 해당 재산의 종류를 적습니다.

3. "③ 지목 또는 건물 · 재산종류"란 : 재산종류가 토지인 경우에는 해당 물건의 등기부 등본상 지목(전, 답 등)을 기재하고, 주택, 건물인 경우에는 해당 물건의 등기부 등본상 건물내역의 명칭(아파트, 상업용건물, 오피스텔 등) 등을 적습니다. 그 외의 재산은 해당 재산의 세부종류명(유가증권인 경우 비상장주식, 상장주식 등)을 적습니다.

4. "④ 소재지 · 법인명 등"란 : 재산의 소재지 또는 법인명 등을 적습니다. 국외자산의 경우 국외자산여부에 ✔ 표시하고 해당 국가명을 별도 기재하고 소재지 · 법인명 등은 한글 또는 영문으로 적습니다. 부득이한 경우 해당 국가의 언어로 적습니다.
   가. 소재지를 기재할 경우 : 해당 물건의 소재지번(예시 : 세종특별자치시 나성동 457)을 적습니다.
   나. 법인명 등을 기재할 경우 : 유가증권인 경우에는 해당 주식을 발행한 법인의 법인명을 적습니다. 그 외의 경우에는 작품명 등 재산명(예시 : 보험금인 경우 ㅁㅁ생명 △△보험 / 유가증권인 경우 ㈜ㅇㅇ건설)을 적습니다.

5. "⑤ 사업자등록번호"란 : "② 재산종류"가 유가증권인 경우에는 해당 주식을 발행한 법인의 사업자등록번호를 각각 적습니다.

6. "⑨ 평가기준코드"란 : 아래의 평가기준에 해당하는 코드를 적습니다.

평가기준	해당 재산의 매매거래가액 (「상속세 및 증여세법」제60조)	해당 재산의 감정가액 (「상속세 및 증여세법」제60조)	해당 재산의 수용보상가액 (「상속세 및 증여세법」제60조)	해당 재산의 경매공매가액 (「상속세 및 증여세법」제60조)	유사재산의 매매사례가액 등 (「상속세 및 증여세법」제60조)	현금 등 가액 (「상속세 및 증여세법」제60조)	저당권 등 평가특례가액 (「상속세 및 증여세법」제66조)	기준시가 등 보충적 평가가액 (「상속세 및 증여세법」제61조부터 제65조)
코드	01	02	03	04	05	06	07	08

7. "⑪ 해당 채무액"란 : 해당 증여재산에 담보된 채무액 중 수증자가 인수한 채무액을 적습니다.

8. "⑫ 기 과세특례적용분 증여세 과세가액"란 : 해당 증여 전에 이미 동일 과세특례를 적용받은 증여재산에 대한 과세가액(증여재산가액 − 채무액)을 적습니다.

9. "⑬ 계"의 금액이 30억 원(창업을 통하여 10명 이상을 신규 고용한 경우에는 50억 원)을 초과하는 경우 그 초과금액에 해당하는 "⑱ 증여재산가액"과 "⑲ 채무액"은 증여세 과세표준 신고 및 자진납부계산서(별지 제10호서식)의 "㉔ 증여재산가액" 또는 "㉙ 채무액"란에 각각 적어 증여세 과세표준 및 세액을 작성해야 합니다.

210mm×297mm[백상지 80g/㎡(재활용품)]

작 성 방 법

1. ⑥란에는 상속세(증여세) 신고납부기한(기한 후 신고 포함) 또는 납세고지서에 따른 납부기한까지 납부하였거나 납부할 상속세(증여세)액을 적습니다.

2. 연부연납기간은 연부연납 허가일부터 5년[가업상속재산의 경우 연부연납 허가 후 2년이 되는 날부터 5년, 가업상속재산이 상속재산(상속인이 아닌 자에 유증한 재산은 제외)의 50퍼센트 이상인 경우에는 연부연납 허가 후 3년이 되는 날부터 12년] 이내로 합니다.

3. 가업상속재산이 아닌 경우로서 신고납부(납세고지서의 납부) 기한과 신고납부(납세고지서의 납부) 기한 경과 후 연부연납기간에 매년 납부할 금액은[연부연납 대상금액 / (연부연납기간 + 1)]으로 하며, 이 경우 각 회분의 납부예정 세액은 1천만 원을 초과하도록 적어야 합니다.

4. 가업상속재산에 해당하는 경우로서 연부연납 허가 후 2년 또는 3년[상속재산(상속인이 아닌 자에게 유증한 재산은 제외) 중 가업상속재산이 차지하는 비율이 100분의 50 이상인 경우]이 되는 날부터 연부연납기간에 매년 납부할 금액은 [연부연납 대상금액 / (연부연납기간 + 1)]으로 합니다. 이 경우 각 회분의 납부예정 세액은 1천만 원을 초과하도록 적어야 합니다.

5. 상속인 전부가 연부연납을 신청하되, 연부연납을 신청하려는 상속인이 다른 공동상속인에게 공동신청을 요청하였으나 그 공동상속인의 거부 또는 주소불명 등의 사유로 공동신청이 곤란하다고 인정되는 경우에는 상속인이 상속재산 중 본인이 받았거나 받을 재산에 대한 상속세를 한도로 연부연납을 신청할 수 있습니다.

   신청인들을 대리하여 세무대리인이 이 신청서를 제출하는 경우에는 세무대리인의 명칭(성명) 및 관리번호를 신청인란의 신청인 다음에 적고, 해당 세무대리인이 서명 또는 날인하여 제출합니다.

6. 상속세 또는 증여세 납부세액이 2천만 원 이하인 경우에는 연부연납을 신청할 수 없습니다.

210mm×297mm[백상지 80g/㎡(재활용품)]

저자 소개

세무사

조남철

- 전화: 02-6925-4864 (세무법인 넥스트)
- 이메일 주소: cnchul@naver.com
- 홈페이지: www.nextsemu.com
- 유튜브채널: 철수네 세금연구소

[경력]
- (현) 중소벤처기업부 비즈니스지원단 자문위원
- (현) 중소기업중앙회 가업승계지원센터 세법강사
- (현) 서울시 마을세무사 운영위원
- (현) 세무TV 주임교수
- (현) 세무법인 넥스트 대표
- (전) 세무법인 더원
- (전) FAMILY OFFICE ㈜FOSAM 세무팀장
- (전) 서울지방세무사회 연수위원

[수상 및 저술사항]
- 행정안전부 장관상 수상
- 종로세무서 모범납세자상 수상
- 한국세무사회 공로상 수상
- [저서]『중소기업 가업승계와 상속증여세』
- [저서]『절세미인-절세, 미리 알면 인생이 바뀐다.』
- [저서]『조선생의 절세 황금키-법인컨설팅 기본편』
- 이데일리, 삼일인포마인, 산업일보, 중소기업뉴스, 일간투데이, 신용보증기금, IBK기업은행, 한국FP센터 등 기고

[강의실적]
- 중소기업중앙회 가업승계센터 세무교육
- 현대모비스 차세대 CEO 가업승계 세무교육
- 서울과학종합대학원 법인세무 강의
- 자동제어조합 가지급금 세무강의
- 기획재정부 차관주재 가업승계 관련 상속세 개편 회의 발제
- 삼성생명, 동양생명, 푸르덴셜생명, 한경경영지원단, 한국FP센터 등 컨설팅 세무교육

조선생의 절세 황금키

2021년판 **개인기업의 성실신고와 법인전환 실무**

2019년 11월 18일 초판 발행
2021년 3월 12일 2판 발행

저 자 조 남 철
발 행 인 이 희 태
발 행 처 삼일인포마인

저자협의 인지생략

서울특별시 용산구 한강대로 273 용산빌딩 4층
등록번호 : 1995. 6. 26 제3-633호
전 화 : (02) 3489-3100
F A X : (02) 3489-3141
I S B N : 978-89-5942-947-9 93320

♣ 파본은 교환하여 드립니다.

정가 23,000원